日本復活を本物に

チャタムハウスから世界へ

御友重希

編著

一般社団法人 金融財政事情研究会

本書の出版に寄せて

　英国で伝統があり、全世界への情報発信力のあるチャタムハウスで、世界と「日本復活を本物に」する鍵を考えようという壮大な事業・研究の中締めに、2014年5月7日、アベノミクス担当大臣として講演し、アベノミクスの取組み、とりわけグローバル化する世界における安倍内閣の成長戦略について、世界に直接説明し議論する貴重な機会をいただきました。

　日本経済は2013年に入って持直しに転じました。政府は経済政策のレジームを転換し、大胆な金融政策、機動的な財政政策、民間投資を喚起する成長戦略の「三本の矢」に一体的に取り組んでいます。その結果、市場や家計、企業のマインドが大きく変わり、実体経済の足取りはしっかりしてきています。長年にわたり日本経済を苦しめてきたデフレにも変化がみられています。現在、消費の増加が生産の増加につながり、それが給与の増加をもたらすという経済の好循環の芽が出ています。チャタムハウスにおいては、2014年1月から毎月、アベノミクスで日本復活を本物にする鍵として、世界やアジアの金融センターでいられるか、高齢化のチャレンジをチャンスにできるか、世界に開かれた会社・家庭・社会をもてるか、世界に投資・貢献し世界の投資を呼び込めるかをあげ、それぞれ4回の研究討論会（ラウンドテーブル）が盛況のうちに開催され、その議論・研究成果、私の講演・総括等を取りまとめ、本書となったと聞いています。

　また、チャタムハウスが共催した2013年6月の安倍首相のス

ピーチに、所長はじめ英国各界人が決意とメッセージを感じ、大きく動き出す日本や復活に向けた日本人の鼓動を感じたのが一連の企画の動機だったと伺っています。講演で私は、皆様に、「アベノミクスで日本は変わろうとしている。いや、すでに変わり始めている」と確信してもらえるよう、その最新の取組みとして、TPP・EPA交渉など国際展開戦略、法人税改革や国内のグローバル化、女性の活躍促進、年金資金の運用等の見直しや企業統治強化など国内への投資促進、医療・農業分野の構造改革による課題解決と新たな市場創造、そして私の提案している日本をイノベーション大国として復活させる改革戦略についてお話し、活発な議論ができました。こうした議論をふまえ、今後、チャタムハウスは、新設されたアジア版チャタムハウスと共催で、日欧で対話・討論し研究を深める予定と聞いています。日本の企業、国、そして国民の皆様が真の国際競争力を発揮され、アジアや世界で真のリーダーシップを発揮される、一助になればと期待しています。

　本書が出版される頃には、私が講演でお話した各種の改革を含め、成長戦略の改訂がなされていると思います。引き続き、成長戦略に盛り込まれている施策を迅速かつ着実に実行に移していくことにより、日本経済を成長路線に導き、日本が世界経済の牽引役を担っていくよう、全力を尽くしてまいります。

2014年5月

経済財政政策担当大臣

甘　利　　明

はじめに

The 'Return' of Japan:

  Abenomics, Structural Reforms and Global Competitiveness

  - A Dialogue with Europe -

~from Chatham House to the world~

（日本復活を本物に：

  アベノミクス、構造改革と国際競争力

  ―ヨーロッパとの対話―

~チャタムハウスから世界へ~）

と題する日本に関する一連の事業・研究を、伝統ある英国のシンクタンク、王立国際問題研究所（チャタムハウス／Chatham House）（第1章）で行うこととなったのは、チャタムハウス国際経済部長を長年務めてきたイタリア人パオラ・サバッキ（Paola Subacchi）女史が2013年夏に日本で得た直感に端を発しています。

「日本は大きく動き出している」「復活に向けた日本人の鼓動を感じた」「東京はすでに世界やアジアの金融センターではないか」

日本で各界の要人と会いロンドンに帰ると、女史は私たち国際経済部チームに熱く語りました。これを「チャタムハウスから世界へ」発信できないか、チャタムハウスの得意とする独立した聖域なき議論を行い、問題の所在と事実を明らかにし、世界と「日本復活を本物に」する鍵（第2章）を考えてみたい

と、私たちチームは考えました。

　チャタムハウス所長のロビン・ニブレット氏も、2013年6月にチャタムハウスが共催してロンドンで行われた経済政策に関する講演会における安倍首相の「日本復活」を訴えるスピーチについて「感動した、高齢化、財政、医療についても首相自身の体験に基づき説得力があった」、と語りました。日本のアベノミクスの鍵は何か、ヨーロッパが取り組む構造改革の論点と比較して問題の所在はどこか。日本企業や社会は真に国際競争力をつけ、世界の経済社会と協和共栄できるか。東日本大震災を経た後に顕著となったインフラ投資、エネルギー問題、資源、環境、食糧を含めた安全保障も鍵となるが、英国がヨーロッパで果たしてきたように、日本がアジア太平洋でリーダーシップをとることはできないか。周辺国との関係の悪化が心配だ……と、日本に関する一連の事業・研究に対する強い関心と期待を語りました。

　これを受け、私たちチームは、世界の情報・金融センターで国際都市であるロンドンに集まる日英欧の産官学の要人やジャーナリストに対し、チャタムハウス会員を中心にヒアリングを行い、以下の4つのテーマについて研究討論会を行い、総括・研究することとしました。

○研究討論会Ⅰ（2014年1月17日）：日本は世界やアジアの金融センターでいられるか（第3章）

○研究討論会Ⅱ（2月13日）：日本は高齢化のチャレンジをチャンスにできるか（第4章）

○研究討論会Ⅲ（3月20日）：日本は世界に開かれた会社・家庭・社会をもてるか（第5章）
○研究討論会Ⅳ（4月8日）：日本は世界に投資・貢献し世界の投資を呼び込めるか（第6章）
○総括発表会（5月7日）：アベノミクス、構造改革と国際競争力〈甘利大臣の基調講演〉（第7章）

　これらの事業・研究と本書出版について、趣旨と重要性にご賛同いただき、JETROロンドン、大和キャピタル・マーケッツ、大和日英基金、アストラゼネカ、日立ヨーロッパ、日本政策投資銀行にご協賛いただき、ジャパン・ソサイエティ、在英日本商工会議所のご後援をはじめ、在英日本大使館などからさまざまなご支援ご指導をいただきましたことを、ここに厚く御礼申し上げます。何より、アベノミクス担当大臣としてご多忙の折、一連の事業・研究を締め括る総括発表会でご講演等いただきました甘利明経済財政政策担当大臣をはじめ、ご参加ご支援いただきました皆様方に、この場をお借りして、あらためまして心より御礼申し上げます。

　これらの事業で明らかとなった「日本復活を本物に」する鍵で、日本が世界やアジア太平洋の経済社会と協和共栄していく将来への扉をいかに開くか、研究討論会と同旨で同時に始まっている2つの実践的な研究も紹介します。
○ヨーロッパ・英国との対話から、大震災からの復興・防災、東京五輪を目標とした日本復活の本格化に向け、日本経済社会は、世界といかに協働し、世界に発信・貢献し、これを日

本の国際競争力強化につなげていくか（第8章）
○変化するアジア太平洋で、シンクタンク・大学等世界の知といかに協働し、チャタムハウスのような国際問題に関する独立した聖域なき議論を全世界に発信する場を創り、日本・アジアの求芯力・発信力を、いかに強化していくか（第9章）

　ロンドンの日本関係者、日本の英国関係者の皆様方の「日本復活」に対する思いは強く、最後のチャンスを確実なものにする一助として、チャタムハウスが展開している、一連の事業・研究に多大なご支援をいただいております。また「日本復活を本物に」する実践的な議論・研究に向けて、日英の政府・企業・大学・研究機関、関係国際機関・団体等からご出張ご参加やご指導などさまざまなご支援をいただいておりますことを、厚く御礼申し上げます。

　日本復活の本格化の一助となることを願いつつ、一連の事業・研究でお世話になっている皆様に本書を捧げ、最後に、父として咲芳里、美由希、重志、花奏、そして私と子どもたちを支えてくれている母、妻純子に、本書を贈りたいと思います。

2014年4月復活祭
英国ロンドンにて

　　　　　　　　　　　　　　　チャタムハウス客員研究員
　　　　　　　　　　　　　　　　　　御友　重希

目 次

第1章

チャタムハウスとは
――国際問題に関する独立した議論を全世界に発信する

§1.1 王立国際問題研究所(The Royal Institute of International Affairs, RIIA) ……………… 2

§1.2 チャタムハウス・ルール(Chatham House Rule) ……………………………………… 3

§1.3 チャタムハウスの起源 ……………………………… 3

§1.4 意思決定(Decision Making)を正当化(Justify)するシンクタンク(Think Tank) ……… 4

§1.5 チャタムハウスの活動内容 ………………………… 6

§1.6 チャタムハウスの研究成果と世界の協和共栄に向けた実践研究 ……………………………… 8

第2章

世界と「日本復活を本物に」する鍵を考える
――チャタムハウスから世界へ/研究討論会・総括と議論・研究

§2.1 日本経済の現状とアベノミクス ………………… 14

§2.2 日本経済社会の芯と復活の鍵 ……………………… 15
§2.3 世界と「日本復活を本物に」する鍵を考える
　　　——チャタムハウスから世界へ／研究討論会・総括
　　　と議論・研究 ……………………………………… 20

第3章　研究討論会 I

日本は世界やアジアの金融センターでいられるか
——日本の金融市場と投資／アジアの金融センターとしての日本・東京

§3.1　なぜいま、金融センターを議論するのか ………… 30
§3.2　チャタムハウスからの開会の辞〔パオラ・サバッキ〕……………………………………………………… 36
§3.3　基調講演〔**渡辺博史**〕……………………………… 39
§3.4　Session 1：主要な国際金融センターとしての
　　　日本・東京 ………………………………………… 43
　§3.4.1　金融センターとなる鍵〔**竹森俊平**〕………… 43
　§3.4.2　東証・大証統合と日本取引所グループ
　　　　　（JPX）の取組み〔**荒井啓祐**〕……………… 46
　§3.4.3　東京の課題は国際化、オープンさと規制
　　　　　改革〔ディビッド・グラハム〕………………… 47
　§3.4.4　先行する香港・シンガポールと東京市場
　　　　　に求めるもの〔グラント・ルイス〕…………… 49
　§3.4.5　ディスカッション ……………………………… 50

§3.4.6　サバッキ議長による中間総括 ………………… 52
§3.5　Session 2：アジア太平洋そして世界の巨大都市としての東京 ……………………………………… 53
§3.5.1　セッション議長による開会の辞——世界の巨大都市東京はアジアや世界の金融センターか〔**アンドリュー・フレイザー**〕…………… 53
§3.5.2　鍵となる日本とアジアの新興市場国との関係〔**土師潤**〕……………………………… 54
§3.5.3　東京が国際金融センターではない3つの理由——特異的・官僚的・国内的〔**ジョン・ヌジー**〕…………………………………………… 55
§3.5.4　世界に開かれた国際ビジネス都市東京の魅力と東京都の取組み〔**安達紀子**〕……… 57
§3.5.5　ディスカッション ……………………… 58
§3.6　議論・研究成果 …………………………………… 60
§3.6.1　アベノミクス第三の矢と日本・東京の国際金融センター化〔**宇野雅夫**〕……………… 60
§3.6.2　チャタムハウスの研究成果と世界の協和共栄への実践研究 ……………………………… 61

第 **4** 章　研究討論会 II

日本は高齢化のチャレンジをチャンスにできるか
―― 日本・ヨーロッパの医療・医薬品等市場と高齢化社会の克服・活用

§4.1　世界の課題として高齢化を議論する ………… 74
§4.2　開会の辞〔パオラ・サバッキ〕…………………… 79
§4.3　基調講演〔石田建昭〕…………………………… 79
§4.4　Session 1：高齢化への挑戦 …………………… 83
　§4.4.1　高齢化のなかでも持続可能な社会保障に向け財政収支ギャップへの挑戦〔大矢俊雄〕……………………………………………… 83
　§4.4.2　日英で似た国民保険制度と学ぶべき点〔グリス・デンハム〕……………………… 85
　§4.4.3　アベノミクスの医療制度改革と健康医療戦略の鍵〔堀江裕〕……………………… 87
　§4.4.4　日本の競争力の鍵は基礎研究と臨床治験の橋渡しへの産学の協力〔大沼信一〕………… 88
　§4.4.5　税金と寄附が支える英医療制度とEU委員会の国際的な役割〔鈴木憲〕……………… 91
　§4.4.6　医療コスト抑制と医療開発投資・成長とのよりよいバランスを〔小野崎耕平〕………… 93
　§4.4.7　ディスカッション ……………………………… 94
　§4.4.8　ウィートリー議長による中間総括 …………… 96

§4.5　Session 2：高齢化日本の世界戦略 …………………… 97
　§4.5.1　発展の鍵は資金配分システム・官僚的手続の改革と諸機関の協働〔宮田俊男〕………… 97
　§4.5.2　日米欧三極の規制当局の協働とアジア太平洋での規制枠組設定〔ディビッド・ジェフリー〕……………………………………………… 99
　§4.5.3　日本の医療制度の強み〔ウィリアム・チャレンスキ〕……………………………………… 100
　§4.5.4　医療関連産業とICTの活用——マンチェスター市での試み〔エィドリアン・コンデゥイット〕……………………………………………… 100
　§4.5.5　医療・医薬品市場拡大のための日欧保護主義との闘い〔有馬純〕……………………… 101
　§4.5.6　日米欧トライアングル合意へ〔ホスック・リー＝牧山〕…………………………………… 103
§4.6　議論・研究成果 ………………………………………… 105
　§4.6.1　議論総括——高齢化における医療制度・市場と開発における日英の協働〔スティーブン・ゴマソール〕……………………………… 105
　§4.6.2　チャタムハウスの研究成果と世界の協和共栄への実践研究 ……………………………… 105

第5章　研究討論会Ⅲ

日本は世界に開かれた会社・家庭・社会をもてるか
――日本のコーポレート・ガバナンスと行動規範改革／世界に開かれた競争力ある企業の統治方式、会社、家庭、地域社会の行動様式

§5.1　なぜいま、日本の会社・家庭・社会のガバナンスを議論するのか ……………………………………… 112

§5.2　開会の辞 ………………………………………………… 119

　§5.2.1　挨拶〔篠沢義勝〕 ……………………………… 119

　§5.2.2　挨拶〔ディビッド・ウォーレン〕 ……………… 120

§5.3　基調講演〔佐藤隆文〕 ………………………………… 120

§5.4　Session 1：日本のコーポレート・ガバナンスと行動規範改革 ……………………………………… 133

　§5.4.1　成長戦略としてのコーポレート・ガバナンス改革〔岡村健司〕 ……………………………… 133

　§5.4.2　日本の強固なコーポレート・ガバナンス構造の何を変え、何を守るか〔ジョン・ブカナン〕 …………………………………………………… 135

　§5.4.3　よいコーポレート・ガバナンス体制がよい投資を生むわけではない〔篠沢義勝〕 ……… 137

　§5.4.4　投資決定に必要なオープンなガバナンス〔ステファン・コーエン〕 ……………………… 138

　§5.4.5　ディスカッション ……………………………… 139

§5.4.6　フレイザー議長による中間総括 ……………141
§5.5　Session 2：人々のマインドセットや行動様式
　　　：人的資本投資、コミュニケーション、教育、女
　　　性・外国人の参画した労働市場等の取組み …………142
　§5.5.1　開会の辞——日本の社会、家庭、会社はど
　　　　　こに向かおうとしているか〔**スティーブン・
　　　　　ゴマソール**〕 ……………………………………142
　§5.5.2　資本市場の新陳代謝機能・メディアの批
　　　　　判機能でアジア主導を〔**マイケル・ウッド
　　　　　フォード**〕 ………………………………………143
　§5.5.3　日本の企業文化の強み——「よい仕事」の
　　　　　企業理念〔**石川博紳**〕…………………………146
　§5.5.4　女性の積極活用が日本を開く〔**マクドナ
　　　　　ルド昭子**〕………………………………………147
　§5.5.5　日本企業のガバナンスへの社会的責任投
　　　　　資の影響〔**下田屋毅**〕…………………………150
　§5.5.6　震災ボランティアで輝く女性と女性のリ
　　　　　ーダーシップで輝く日本〔**下濱愛**〕…………153
§5.6　Session 3：日本と世界は競争力あるガバナン
　　　ス・行動様式をもてるか …………………………………155
　§5.6.1　OECDのコーポレート・ガバナンス原
　　　　　則の改訂〔**野崎彰**〕……………………………155
　§5.6.2　企業価値と資本効率の向上のためのガバ
　　　　　ナンスを〔**福本拓也**〕…………………………157

§5.6.3　ガバナンスを支える経営管理——リスクの回避からマネジメントへ〔戸田洋正〕............ 159
　§5.6.4　高いリターンに挑戦する開かれたガバナンスのモデルを〔中島勇一郎〕............ 160
§5.7　ディスカッション 161
§5.8　議論・研究成果 164
　§5.8.1　総括〔パオラ・サバッキ〕............ 164
　§5.8.2　チャタムハウスの研究成果と世界の協和共栄への実践研究 164

第6章　研究討論会Ⅳ

日本は世界に投資・貢献し世界の投資を呼び込めるか
——日本・ヨーロッパのインフラ投資と成長戦略／世界への投資・貢献、世界からの投資の呼込み、世界と日本の雇用、技術革新等への貢献

§6.1　世界の課題として投資、特にインフラ投資を議論する 178
§6.2　開会の辞——投資と投資家の機会を増やし国際競争力のある成長モデルに〔ロビン・ニブレット〕............ 183
§6.3　基調講演〔武藤敏郎〕............ 184
§6.4　Session 1：我が国のPPP／PFI市場活性化に向けての示唆 190
　§6.4.1　我が国のPPP／PFI市場の特徴と潜在的

　　　　可能性〔黒木重史〕…………………………… 190
§6.4.2　日本市場へ新規参入する際の事業者とし
　　　　ての視点〔ジャン゠セルジュ・ボアサヴィ〕……… 195
§6.4.3　透明性が高くわかりやすい投資を好む年金
　　　　投資家〔ヤン゠ヴィレム・ルイスブルック〕……… 197
§6.4.4　PPP／PFI活用のメリットと政府の役割
　　　　〔ダグラス・シガース〕…………………………… 198
§6.4.5　海外機関投資家の資金を呼び込むための
　　　　諸条件〔デボラ・ズルコウ〕…………………… 201
§6.4.6　PPP／PFI改革に向けた日本政府のリー
　　　　ダーシップに期待〔ティエリー・デオ〕……… 203
§6.5　Session 2：世界への投資 ……………………………… 204
§6.5.1　日本企業のインフラ海外展開支援と世界
　　　　への貢献〔待井寿郎〕…………………………… 204
§6.5.2　海外展開すべき日本国内のPPP／PFI市
　　　　場整備の課題〔坂爪敏明〕……………………… 206
§6.5.3　海外展開に不可欠な非技術的要素と日欧
　　　　が協力できる課題〔林春樹〕…………………… 207
§6.5.4　ディスカッション ……………………………… 208
§6.6　Session 3：日本への投資 ……………………………… 209
§6.6.1　開会の辞〔ジェイスン・ジェイムズ〕………… 209
§6.6.2　アベノミクスは改革か新たな規制の導入
　　　　か〔フィリップ・ハワード〕…………………… 210
§6.6.3　日本市場のビジネス環境の強み・課題と

　　　　　アジア市場への広がり〔有馬純〕……………… 211
　§6.6.4　貿易・投資でのアジアや英欧との協働と
　　　　　情報発信力の強化〔ホスック・リー＝牧山〕…… 215
　§6.6.5　「世界のなかの日本」という立ち位置——
　　　　　求められる英国流の発想の転換〔小松啓一
　　　　　郎〕………………………………………………… 216
　§6.6.6　外国投資家と日本企業の間でのpartner-
　　　　　shipsとcollaborations〔ジェイムズ・ハリス〕…… 220
§6.7　議論・研究成果 ……………………………………… 223
　§6.7.1　Session総括——長期的な事業運営力を高
　　　　　め日本への投資促進を〔ジェイスン・ジェイ
　　　　　ムズ〕……………………………………………… 223
　§6.7.2　チャタムハウスの研究成果と世界の協和
　　　　　共栄への実践研究 ……………………………… 224

第7章

総括：アベノミクス、構造改革と国際競争力
　〈甘利大臣の基調講演〉

§7.1　チャタムハウスのロビン・ニブレット所長の
　　　 挨拶 ………………………………………………… 232
§7.2　甘利明経済財政政策担当大臣の基調講演 ………… 233
§7.3　総　　括 ……………………………………………… 243
　§7.3.1　研究討論会Ⅰ——日本は世界やアジアの金

　　　　　融センターでいられるか～日本の金融市場と
　　　　　投資／アジアの金融センターとしての日本・
　　　　　東京～……………………………………………… 246
§7.3.2　研究討論会Ⅱ──日本は高齢化のチャレン
　　　　　ジをチャンスにできるか～日本・ヨーロッパ
　　　　　の医療・医薬品等市場と高齢化社会の克服・
　　　　　活用～ ………………………………………… 249
§7.3.3　研究討論会Ⅲ──日本は世界に開かれた会
　　　　　社・家庭・社会をもてるか～日本のコーポレ
　　　　　ート・ガバナンスと行動規範改革／世界に開
　　　　　かれた競争力ある企業の統治方式、会社、家
　　　　　庭、地域社会の行動様式～ ………………… 250
§7.3.4　研究討論会Ⅳ──日本は世界に投資・貢献
　　　　　し世界の投資を呼び込めるか～日本・ヨーロ
　　　　　ッパのインフラ投資と成長戦略／世界への投
　　　　　資・貢献、世界からの投資の呼込み、世界と
　　　　　日本の雇用、技術革新等への貢献～ ……… 252
§7.3.5　総括──日本復活を本物に：アベノミク
　　　　　ス、構造改革と国際競争力─ヨーロッパとの
　　　　　対話～チャタムハウスから世界へ～ ……… 254

第 8 章

ヨーロッパ・英国との対話から／世界への発信・貢献と国際競争力
―― 大震災からの復興・防災、東京五輪に向けた世界戦略

§8.1 ヨーロッパ・英国との対話 258
§8.2 チャタムハウス公式研究討論会パネルディスカッション（東京） 261
　§8.2.1 Session 1：英国「おもてなし」とロンドン五輪での人々の連携 262
　§8.2.2 Session 2：東日本大震災後、東京五輪に向けた全国・世界の連帯と希望 263
　§8.2.3 Session 3：日本の魅力「おもてなし」世界戦略――2020年に向け日本復活を支える事業 264
§8.3 チャタムハウス公式研究討論会パネルディスカッション（ブリュッセル） 266

第 9 章

変化するアジア太平洋で／世界の知との協働と求芯力・発信力
——日本の産官学の新たな役割とアジア太平洋 日英 知の国際交流センターでの協働

§9.1　変化するアジア太平洋にある日本 ………………… 270

§9.2　世界の知との協働と求芯力・発信力 ……………… 273

§9.3　アジア太平洋 日英 知の国際交流センターの

　　　　設立 ………………………………………………… 276

§9.4　日英 知の国際交流——チャタムハウスとの協働 …… 282

　§9.4.1　Session 1：政府の新たな役割 ………………… 283

　§9.4.2　Session 2：大学の新たな役割（人的資本

　　　　　（老若男女）世界の英知の活用とアジア太平洋

　　　　　日英 知の国際交流センター事業）……………… 284

　§9.4.3　Session 3：企業・社会の新たな役割 ………… 285

おわりに …………………………………………………………… 287

第1章

チャタムハウスとは
―― 国際問題に関する独立した議論を
全世界に発信する

§1.1　王立国際問題研究所（The Royal Institute of International Affairs, RIIA）

　ロンドンのピカデリー・サーカス駅近く、チャタムハウスが位置するセント・ジェームズズ・スクエア10番地は、チャタム伯爵家の大ウィリアム・ピットがロンドンの邸宅としていた場所です。正式名称は、王立国際問題研究所（The Royal Institute of International Affairs, RIIA）ですが、所在地の建物の名称をとって、通称チャタムハウスと呼ばれています。

　他のシンクタンクと違って、チャタムハウスは国内外に支部を置かず、世界の情報・金融センターで国際都市のロンドンに拠点を定め、英米欧の産官学の要人・主要企業を会員として、研究討論会やフォーラムに情報をもたらすヒト・モノ・カネを集中させることで、世界の求芯力と世界への情報発信力を確立しています。欧州の金融センターで、母国語が英語、英米法のもと、アングロサクソン流経営・経済の中心であるロンドンにあること、王立であること、女王が元首である英連邦（Commonwealth）諸国や旧植民地諸国と歴史的な人脈があることなどを生かし、豊富な資金力を背景とした米国の主要シンクタンクと違って、少ない資金で、外交・安保から地域研究、国際法、資源エネルギー・金融・経済まで、国際問題全般に成果をあげています。

　特定の国や企業、団体に所属せず、与野党の首相経験者を名誉会長として、運営は人件費含め会員（法人、個人、アカデミ

ック等）会費と協賛金でまかない、対価として多様な情報特典を与えています（www.chathamhouse.org）。

§1.2 チャタムハウス・ルール（Chatham House Rule）

チャタムハウスはチャタムハウス・ルール「会議の全体またはその一部がチャタムハウス・ルールで行われる場合、参加者はそこで得た情報を自由に使用することができるが、会議における発言者およびそれ以外の参加者の身元や所属団体をいっさい明かしてはならない」（いわゆる報道関係者のいう「オフレコ」）が発祥した機関で、現在では多くの国際会議で広く採用されています。

§1.3 チャタムハウスの起源

チャタムハウスの起源は第一次世界大戦後のパリ講和会議（1919年）まで遡ります。講和会議で寝食をともにし意気投合した英国代表団と米国代表団から、将来の戦争回避のために、国際問題を研究する英米国際問題研究所の構想が生まれました。当時のチャタムハウス・ルールも、当時オフレコにしないと暗殺される危険もある緊張感のなか、命がけで示された事実に基づいて国際問題に関して独立した議論を行い、自国と世界の繁栄と安定、つまり世界に協和共栄をもたらそうという戦争直後の緊張感、高揚感と理想に基づくものだったと思われま

す。

　英米両国が研究所を設立するという構想がそのまま具体化することはありませんでしたが、翌1920年には英国国際問題研究所がロンドンに創設され、1926年に女王より勅許状が授与され現在の住所に移り、王立国際問題研究所となりました。

§1.4　意思決定（Decision Making）を正当化（Justify）するシンクタンク（Think Tank）

　チャタムハウスは、以下の活動を通して国際問題に関する聖域なき独立した議論を全世界に発信することをミッションとしています。

① 政府機関、民間機関、民間非営利組織等と国際問題解決のための公式／非公式の議論
② 世界および地域の重要課題に対する独立かつ厳格な分析の実施
③ 意思決定者への短期的および長期的な解決に向けた新しいアイデアの提案

　日本やアジアのシンクタンク（Think Tank）は、特定の政府や企業、団体の組織やグループの一部に属しており、資金的、人事的に依存していることが少なくありません。このため、英米欧などからみると、特定の団体の意思決定（Decision Making）が先にあり、これを正当化（Excuse）しているのではないかと、その独立性に疑問がもたれることもあります。もちろん米国やヨーロッパなどでも特定の企業や政党のシンクタンク

もありますが、その点チャタムハウスは、特定の国や企業、団体に所属せず、与野党の首相経験者を名誉会長として、政治的な中立性を保っています。運営費用は人件費を含め会員（法人、個人、アカデミック等）からの会費と協賛金でまかない、対価として多様な情報特典を与えています。会員には、英米欧をはじめとする世界の主要企業・団体、産官学の指導者、主要紙誌局のジャーナリスト、主要大学・研究所等が名を連ねています。会員はチャタムハウスでほぼ毎日開催されている研究討論会、セミナー、国際会議に直接またはソーシャルメディアを通じて参加し、世界の知見を広げ、§1.2で述べたチャタムハウス・ルールのもと、各自各国での経験・情報を共有し、各自の意思決定（Decision Making）やその説明・正当化（Justify）・発信に活用します。

また、チャタムハウスは毎年、世界の政治・外交に貢献した

図表1－1　過去の講演者（著名政治家、外交官、知識人）

ウィンストン・チャーチル（英元首相）、マハトマ・ガンジー（印政治指導者）、ヘンリー・キッシンジャー（米元国務長官）、ウィリー・ブラント（独元首相）、フランソワ・ミッテラン（仏元大統領）、ジャン・クロード・トリシェ（前欧州中央銀行総裁）、ロマーノ・プローディ（伊元首相）、ジャック・アタリ（仏経済学者）、董建華（香港特別行政区初代行政長官）、ヒラリー・クリントン（米元国務長官）、アブドゥラ・ギュル（トルコ大統領）、クリスティーヌ・ラガルド（IMF専務理事）、デイビッド・キャメロン（英首相）、鈴木善幸（元首相）、安倍晋三（首相：2013年6月19日）

図表1-2　2013年世界シンクタンクランキング

	機　関	国
1	Brookings Institution（ブルッキングス研究所）	米国
2	**Chatham House（チャタムハウス）**	**英国**
3	Carnegie Endowment for Int'l Peace	米国
4	Center for Strategic & Int'l Studies（米国版チャタムハウス）	米国
5	Stockholm Int'l Peace Research Institute	スウェーデン

(注)　米国ペンシルベニア大学の「シンクタンク・市民社会プログラム（TTCSP）」研究組織の国際調査に基づく。同調査は、学者、公的／非公的機関、政策決定者、ジャーナリストを対象とし、28項目にわたるTTCSP独自の基準をもとに算出される。
(出所)　The Global 'Go-To Think Tanks', James G. McGann, University of Pennsylvania, January 2014

元首相・大臣等にチャタムハウス賞を選び、エリザベス女王等が授与する晩餐会へ招待しています。2013年は、ヒラリー・クリントン米元国務長官が受賞しました。そのほか、全世界の元首等が日々講演を行っています（図表1-1）。

このように、チャタムハウスは世界トップクラスの独立系研究機関であり、世界の繁栄と安定のため、世界に情報発信し大きな影響力をもちます。世界のシンクタンクランキングでは、毎年1、2位の座を維持しています（図表1-2）。

§1.5　チャタムハウスの活動内容

チャタムハウスでは、研究、公表・出版、討論会等の活動が

行われており、以下の分野を対象に構成されています。
・国際経済
・エネルギー、環境、資源
・食糧安全保障、医療、教育、福祉
・国際安全保障
・地域研究および国際法
　チャタムハウスは、具体的には、
・世界中の政治家や識者を招聘して開催される会議（研究討論会、基本的にはチャタムハウス・ルールで非公開）の主催・運営、会員の企業・マスメディア向け時事問題の解説
・世界各国の政府高官や議員を対象にして行われる将来の政策・立案に向けた指針の提示
・学者・経営者・マスメディア等が公開の場で意見交換を行うフォーラムの主催
などを実施しています。

　国際経済分野については、2013年6月19日の安倍総理のロンドンのシティーのギルドホールでのスピーチに続き、黒田東彦日本銀行総裁を招いた朝食会や同じく経済財政諮問会議の議員の伊藤元重東京大学大学院経済学研究科教授を招いた研究討論会も開催されました。2014年1月からは、本書の第2章以降で紹介するように、毎月、「日本復活を本物に：アベノミクス、構造改革と国際競争力―ヨーロッパとの対話―」（THE 'RETURN' OF JAPAN：ABENOMICS, STRUCTURAL REFORMS AND GLOBAL COMPETITIVENESS – A Dialogue with Europe –）と

題し「チャタムハウスから世界へ」をミッションに、ロンドンで4回の研究討論会と総括発表会を開催しました。また、第8章で紹介するように、2014年8・9月に日本、10・11月にヨーロッパ、そして2015年1・2月に東京とロンドンで、日欧の対話を通じたパネルディスカッションを開催する予定です。

さらに、チャタムハウスでは、アジア地域研究として、全世界の視点から、最新の政治、経済、社会から文化、トレンド、世論に至る、幅広い分野を研究しています。アジア・プログラムでは、日本財団と、今後5年間、英国・欧州との協力関係を焦点に、国際問題における日本の経済的・地理的な役割を検証する一連のセミナーを開催しており、2014年10月に東京で行われます（http://www.chathamhouse.org/about/structure/asia-programme/uk-japan）。

§1.6 チャタムハウスの研究成果と世界の協和共栄に向けた実践研究

実践・意思決定に直結する事実・課題を焦点に
真の民主主義の議論をする

チャタムハウスでは、その時々の世界の直面するチャレンジへの対応、意思決定やガバナンスを求められる具体的な課題について、英米欧をはじめ世界の主要企業・団体、産官学の指導者、ジャーナリストや大学・研究機関の専門家や関係者、関心をもつ人々が一堂に会し、多くの場合、チャタムハウス・ルールのもと、独立した聖域なき議論を行いながら、最も重要な事

実と論点、実践の鍵などを絞り込んでいきます。それは討論や論戦のように、批判や反対意見を打ち負かしたり、自分の意見を正当化したりするための議論ではなく、むしろ批判や反対意見を最大限に受け止め、何が真の事実＝真実かに焦点を当て、実践的な解やその方向性を探っていく、民主主義の議論そのものを目指しているのです。

孤高な指導者が批判や不都合な真実を知るためにチャタムハウスに会する

　洋の東西を問わず、指導者は孤独なものです。第5章の研究討論会Ⅲでも議論されますが、特に民主主義的なガバナンスから離れ、トップが一元的に何でもコントロールする国や団体では、周りにイエスマンばかりが集まり、何が真の事実＝真実かがわからぬまま、国や団体その国民・メンバーの将来や運命を決する決断を迫られる事態に陥ります。世界の指導者は、批判や反対意見、不都合な真実を知り、世界の違った考え方に基づく意志決定や経験を知るために、チャタムハウスに会するといっても過言ではありません。

　しかし数回議論をしたら正解が出るような議題なら、多忙な指導者がわざわざチャタムハウスに会して議論する価値のない、世界にとってチャレンジではない課題です。日本を含むアジアの国民は、正解を求めがちです。しかし、「だれかが正解を教えてくれるのを待っているのは、民主主義の主権者の責任を果たしているといえず、それでは正解に達しないから民主主

義をつくったというのが歴史の事実ではないか」、と長年チャタムハウス会員となっている英国紳士が指摘していました。必ずしも正解が出ないのに議論する価値がどこにあるか、それは、最も困難で重要な世界の各国の各人が直面する課題を考える（think）鍵となる事実を、アップデートすることにあるのではないかと考えられます。指導者というものは、いま得られる最大限に真に近い事実に基づいて日々重要な意思決定をする必要に迫られています。チャタムハウスでの議論は、こうした指導者の真のリーダーシップを支えることを目指しているのです。

世界の協和共栄に向け
真実と正解に近づく終わりなき実践研究を続ける

　第3章〜第6章で紹介する4回の研究討論会で、どの程度深く、独立した聖域なき議論を行うことができ、最も重要な事実と論点、実践の鍵など絞り込むことができているか、読者の皆様はどう感じられるでしょうか。

　英米欧をはじめとした国々では、学校でも初等教育から議論やディベートの訓練がなされ、会社・家庭・地域社会でも、自分たちにとってよい、より正解に近いルールを、自分たちで議論してつくり変えていこうとしています。日本では小学校に入ると先生や教科書が正解で、「それは違う」「変わってきている」など話し出そうものなら、「静かに先生や親の話を聞きなさい……」と育てられてきたのではないかと思います。アジアでも日本に似た国も多いようです。そうした国の参加者とその

国に関し議論する場合、研究討論会のなかで、英語でinteractiveな対話に基づく議論を展開し、論点を絞っていくことはなかなか困難です。

　第7章の総括発表会のように、甘利大臣など課題の鍵となる責任者に最新の事実をスピーチしていただき、それについて質疑・応答、総括したり、本書のように、議論を書籍化したり、第2章のような要約やtranscript、reportにまとめたりする活動自体、チャタムハウスでは、議論と同様、真実と正解に近づく終わりなき研究活動の一環と考えられています。そして、その過程で明らかとなってくる事実や論点に基づき、同時に、第8章の東日本大震災から東京オリンピックに向けた世界戦略、第9章の変化するアジア太平洋で産官学の新たな役割とアジア太平洋 日英 知の国際交流センターでの協働のように、まったく新たな切り口で、より実践的な研究討論会やセミナーなどを企画立案、実施していくことも、重要な研究活動とされています。チャタムハウスでは、こうした独自の基本的な考え方と独立した方法により、世界において、情報の求芯力と発信力を高め続けているのです。

第2章

世界と「日本復活を本物に」する鍵を考える
――チャタムハウスから世界へ／
　研究討論会・総括と議論・研究

§2.1 日本経済の現状とアベノミクス

伊藤元重・東京大大学院経済学研究科教授（経済財政諮問会議議員）は、2014年3月25日の講演で日本経済の現状とアベノミクスについて、以下のように整理されました。

> この15年間で企業や家計の貯蓄は大きく伸びました。将来への不安から投資や消費を抑え続けた結果ですが、膨大な貯蓄資産は、金融機関を通じて国債の購入、つまり国の借金の穴埋めに使われました。将来への投資をしない社会がよくなるはずがありません。
>
> アベノミクスの三本の矢のうち、最大のポイントだった金融緩和は想像以上の成果をあげました。欧州危機が最悪の状態を脱し、米国の景気回復が早まった幸運もありますが、黒田日銀総裁の大胆な政策は世界を驚かせました。国民や企業に染みついたデフレ根性を払しょくする最初の課題は、クリアできそうです。
>
> しかし、実際に物価が上昇した時、金融を引き締めるのは非常にむずかしいでしょう。それでも見方を変えれば、実質成長率が1.5％で物価が2％上がれば、名目成長率は3.5％になるのであって、デフレ局面から変わるインパクトは、非常に大きいものがあります。
>
> 二本目の矢の財政支出には批判も多いですが、1,000兆円を超える公的セクターの借金が5兆円増えても、マクロ

経済にとって大した話ではありません。問題は足元の収支ではなく、財政健全化への意思と能力があるかどうかです。結局は社会保障関係経費の抑制しか方法はありません。医療や介護の質を上げながらコストを下げるとともに、自己負担割合や消費税率の引上げなどできることから取り組む必要があります。

　民間経済に影響があるのは三本目の矢の成長戦略です。米国と組んでアジア太平洋の市場を開き、オーストラリアやカナダから長期的に資源を確保するうえで、環太平洋戦略的経済連携協定（TPP）に参加することは大変重要です。現状のままではどうにもならない医療・ヘルスケアやエネルギー・環境分野の規制緩和も、大きなビジネスチャンスを生む可能性があります。

§2.2　日本経済社会の芯と復活の鍵

アベノミクス——総合計画と情報発信力・求芯力

　日本の2％のインフレを目標とする「異次元の」金融緩和に続く、日本の復活、アベノミクスは世界を驚かせました。2013年6月、安倍首相はチャタムハウスも共催した経済政策に関する講演会でアベノミクスを語られ、また日本銀行の黒田総裁も、チャタムハウスの研究討論会で自身の金融緩和を説明されました。金融危機からの脱却と構造改革に取り組むヨーロッパ、EU、独自の金融政策ができないユーロ圏の諸国にとっ

て、アベノミクスはいま「最も興味深い経済政策」であり、特に第三の矢の構造改革は、日本の復活が本物となるか否かを決める「最も大きなチャレンジ」で、これは英国、ヨーロッパ、そして世界が直面し、日々議論し格闘しているチャレンジでもあります。

その日本復活を本物にする鍵は何か、これは日本国内でこれまで何度も議論されてきたテーマで、その時々に産官学それぞれで議論され、さまざまな提言がなされてきました。そして現在は、政府からアベノミクスとして非常に明確かつ総合的な政策・戦略が出されており、それと呼応して各界でさまざまな提言等が出されています。ただ、あまりに多くの論点があって何が真の議題か絞り切れないというのが、私たちチームが一連の事業・研究を始めた時の印象でした。

チャタムハウス所長のロビン・ニブレット氏も、私たちに、日本のアベノミクスの鍵は何かと問い、それに「第三の矢」と答えると、「第三の矢」のうち何が最大のチャレンジで、それにどう対応していくと日本復活が本物になるのか……と問われました。チームは日本政府の英語のホームページを検索しましたが、あまりにすべてが総合的に書かれており、資料も1枚の紙にすべてが盛り込んであります。2013年6月の安倍首相のスピーチでは焦点が明確に定まっていた事実と課題について、特に英語で検索しても、十分にフォローアップができない事実に直面しました。私たちは、それを所長やサバッキ部長にいうと、「第三の矢」は総合計画だから、チャタムハウスの会員に

すべて完璧に説明しようとしても、まずほとんど関心をもってもらえないだろう。世界の課題との関係でどこに問題の焦点である「芯」があるか、それを独立したシンクタンクであるチャタムハウスの君たちチーム自身はどう考えるのか、それに会員は関心をもつとの答えが返ってきました。

日本経済社会の芯——世界からの岡目八目でみえてくるもの

　私たちのチームは、世界の情報・金融センターで国際都市であるロンドンに集まる日英ヨーロッパの産官学の要人やジャーナリストに対し、日本復活の鍵について、チャタムハウス会員を中心にヒアリングを行いました。

　「日本は大きく動き出している、復活に向けた日本人の鼓動を感じた、東京はすでに世界やアジアの金融センターではないか」という部長の視点から、世界が直面する高齢化に対して日本はどのような戦略を描き実行しているか、ヨーロッパが取り組む構造改革の論点と比較して問題の所在はどこか、日本企業や社会は真に国際競争力をつけ、世界の経済社会と協和共栄できるか、東日本大震災を経た後に顕著となったインフラ投資、エネルギー問題、資源、環境、食糧を含めた安全保障の状況はどうか……まで、各人の関心からさまざまな論点が出てきました。

　日本経済社会の芯は何だろう、これが日本の外の世界、特にさまざまな人種が活躍するロンドンで調査・研究をすると、日本のなかとは違う岡目八目の鋭く単純明快な視点が抽出されて

きて、私たちチームにとって、驚きの連続でした。私たちはこれらの視点から、ヒト・モノ（サービス）・カネといった日本経済社会にとって不可欠だが限られた資源を、「芯」として整理してみました。

　第一にアベノミクスの第一の矢の金融政策とも関連した、経済の血液である「カネ」に関し、世界やアジアの金融センターであるか否か、サービス業としての金融が日本・東京の市場を使い、世界やアジア太平洋のヒト・モノ・カネを情報の力も使いながら集めることができるか、といった視点です。

　第二に世界に先駆けた高齢化に直面し、アベノミクスの第二の矢の財政政策の財政や社会保障制度の持続可能性とも関連した、むしろ高齢化を活用できる「サービス」である医療・医薬品産業を、アベノミクスの第三の矢として、いかに戦略的に世界に向け情報発信し、活性化できるか、といった視点です。

　第三に日本経済社会をつくる企業や社会や家庭とバランスをもった「ヒト」について、外国からヒト・モノ・カネが日本に来て投資されようとする時、英語の問題、日本の制度や規制等の情報の問題等「文化」障壁といわれるなか、必要不可欠な部分を改善して、国際競争力を強化できるか、といった視点です。

　第四にインフラなど「モノ」やサービスについて、情報発信しつつ、世界に投資し、世界から投資を呼び込むことによって、いかに世界とともに日本経済が成長し、雇用を生み、技術革新を起こすことができるか、といった視点です。

日本経済社会の芯から復活の鍵を考える——終わりなき実践研究

　チャタムハウス国際経済部としてこれら4つをテーマに研究討論会を行い、総括・研究することとしました。これら4つの日本経済社会の芯に、世界やアジア、日本の事実や問題点、日本経済社会が直面するチャレンジへの対応、意思決定やガバナンスを求められる具体的な課題について、英米ヨーロッパをはじめ世界の主要企業・団体、産官学の指導者、ジャーナリストや大学・研究機関の専門家や関係者、関心をもつ人々が一堂に会し、独立した聖域なき議論を行いつつ、最も重要な事実と論点、実践の鍵などを縛り込んでいきます。

　一連の議論のテーマは、どれも日本の「最も大きなチャレンジ」で、第1回（第3章参照）「いかに世界やアジアの金融センターでいられるか」に続き、第2回（第4章参照）は「世界に先駆けた超高齢化社会を財政、医療等がいかに克服、活用できるか」、第3回（第5章参照）は「いかに世界に開かれた競争力ある企業の統治方式、会社、家庭、地域社会の行動様式をもつか」、第4回（第6章参照）は「世界に投資し、世界の投資を呼び込み、いかに世界の経済社会、日本の雇用、技術革新等に貢献できるか」です。これらはすべて英国ヨーロッパ、そして世界が格闘しているチャレンジそのものであり、interactiveな対話に基づく議論により、問題の所在と方向性を浮彫りにしていきます。

§2.3 世界と「日本復活を本物に」する鍵を考える——チャタムハウスから世界へ／研究討論会・総括と議論・研究

研究討論会Ⅰ～Ⅳ・総括発表会

The 'Return' of Japan:

Abenomics, Structural Reforms and Global Competitiveness

− A Dialogue with Europe −

～from Chatham House to the world～

（日本復活を本物に：

　アベノミクス、構造改革と国際競争力

　—ヨーロッパとの対話—

～チャタムハウスから世界へ～）

と題して、ロンドンのチャタムハウスで開催された4回の研究討論会（第3～6章参照）と総括発表会（第7章参照）の議論のテーマを、以下述べます。

○研究討論会Ⅰ：日本は世界やアジアの金融センターでいられるか——日本の金融市場と投資／アジアの金融センターとしての日本・東京（第3章）

1　パオラ・サバッキ　チャタムハウス国際経済部長による開会の辞

2　渡辺博史（元財務官）国際協力銀行総裁による基調講演

3　Session 1：主要な国際金融センターとしての日本・東京

(1) 金融センターとなる鍵（竹森俊平　慶應義塾大学経済学部教授）
  (2) 東証・大証統合と日本取引所グループ（JPX）の取組み（荒井啓祐　東京証券取引所ロンドン駐在員事務所長）
  (3) 東京の課題は国際化、オープンさと規制改革（ディビッド・グラハム　ブラックロックMD）
  (4) 先行する香港・シンガポールと東京市場に求めるもの（グラント・ルイス　大和キャピタル・マーケッツMD）
4　Session 2：アジア太平洋そして世界の巨大都市としての東京
  (1) セッション議長による開会の辞——世界の巨大都市東京はアジアや世界の金融センターか（アンドリュー・フレイザー　三菱商事顧問）
  (2) 鍵となる日本とアジアの新興市場国との関係（土師潤　全国銀行協会金融調査部次長）
  (3) 東京が国際金融センターではない3つの理由——特異的・官僚的・国内的（ジョン・ヌジー　OMFIフォーラム研究所顧問）
  (4) 世界に開かれた国際ビジネス都市東京の魅力と東京都の取組み（安達紀子　東京都総合特区推進担当課長）
5　議論・研究成果（宇野雅夫　在英国日本国大使館財務公使）

○研究討論会Ⅱ：日本は高齢化のチャレンジをチャンスにできるか——日本・ヨーロッパの医療・医薬品等市場と高齢化社会の

克服・活用（第4章）
1 パオラ・サバッキ チャタムハウス国際経済部長による開会の辞
2 石田建昭 東海東京フィナンシャル・ホールディングス代表取締役社長 最高経営責任者による基調講演
3 Session 1：高齢化への挑戦
 (1) 高齢化のなかでも持続可能な社会保障に向け財政収支ギャップへの挑戦（大矢俊雄 財務省参事官）
 (2) 日英で似た国民保険制度と学ぶべき点（グリス・デンハム 英保健省薬事産業課長）
 (3) アベノミクスの医療制度改革と健康医療戦略の鍵（堀江裕 厚生労働省国際課長）
 (4) 日本の競争力の鍵は基礎研究と臨床治験の橋渡しへ産学の協力（大沼信一 UCL教授）
 (5) 税金と寄附が支える英医療制度とEU委員会の国際的な役割（鈴木憲 ロンドン大学クィーン・メアリー教授）
 (6) 医療コスト抑制と医療開発投資・成長とのよりよいバランスを（小野崎耕平 アストラゼネカ執行役員）
4 Session 2：高齢化日本の世界戦略
 (1) 発展の鍵は資金配分システム・官僚的手続の改革と諸機関の協働（宮田俊男 HGPIエグゼクティブダイレクター）
 (2) 日米欧三極の規制当局の協働とアジア太平洋での規制枠組設定（ディビッド・ジェフリー エイザイ（欧州）副社長）

- (3) 日本の医療制度の強み（ウィリアム・チャレンスキ　アストラゼネカ副社長）
- (4) 医療関連産業とICTの活用——マンチェスター市での試み（エィドリアン・コンデュイット　日立コンサルティング所長）
- (5) 医療・医薬品市場拡大のための日欧保護主義との闘い（有馬純　JETROロンドン事務所長）
- (6) 日米欧トライアングル合意へ（ホスック・リー＝牧山　ECIPE研究所長）
5 議論・研究成果（スティーブン・ゴマソール　日立ヨーロッパ会長（元駐日大使））

〇研究討論会Ⅲ：日本は世界に開かれた会社・家庭・社会をもてるか——日本のコーポレート・ガバナンスと行動規範改革／世界に開かれた競争力ある企業の統治方式、会社、家庭、地域社会の行動様式（第5章）
1 篠沢義勝　ロンドン大学東洋アフリカ研究学院上級講師による開会の辞
2 ディビッド・ウォーレン　ジャパンソサエティ会長による開会の辞
3 佐藤隆文　東京証券取引所自主規制法人理事長による基調講演
4 Session 1：日本のコーポレート・ガバナンスと行動規範改革

⑴　成長戦略としてのコーポレート・ガバナンス改革（岡村健司　金融庁総務企画局参事官（国際担当））

　⑵　日本の強固なコーポレート・ガバナンス構造の何を変え、何を守るか（ジョン・ブカナン　ケンブリッジ大学CBR研究員）

　⑶　よいコーポレート・ガバナンス体制がよい投資を生むわけではない（篠沢義勝　ロンドン大学東洋アフリカ研究学院上級講師）

　⑷　投資決定に必要なオープンなガバナンス（ステファン・コーエン　ガバナンス・フォー・オーナーズ会長）

5　Session 2：人々のマインドセットや行動様式：人的資本投資、コミュニケーション、教育、女性・外国人の参画した労働市場等の取組み

　⑴　開会の辞——日本の社会、家庭、会社はどこに向かおうとしているか（スティーブン・ゴマソール　日立ヨーロッパ会長（元駐日大使））

　⑵　資本市場の新陳代謝機能・メディアの批判機能でアジア主導を（マイケル・ウッドフォード　元オリンパスCEO）

　⑶　日本の企業文化の強み——「よい仕事」の企業理念（石川博紳　三井物産常務執行役員欧州・中東・アフリカ本部長兼欧州三井物産社長）

　⑷　女性の積極活用が日本を開く（マクドナルド昭子　オーシャンブリッジ・マネジメント講師）

　⑸　日本企業のガバナンスへの社会的責任投資の影響（下

田屋毅　サステイナビジョン代表取締役）
　(6)　震災ボランティアで輝く女性と女性のリーダーシップで輝く日本（下濱愛　TERP London代表）
6　Session 3：日本と世界は競争力あるガバナンス・行動様式をもてるか
　(1)　OECDのコーポレート・ガバナンス原則の改訂（野崎彰　OECD金融企業局シニア政策アナリスト）
　(2)　企業価値と資本効率向上のためのガバナンスを（福本拓也　経済産業省経済産業政策局企業会計室長）
　(3)　ガバナンスを支える経営管理——リスクの回避からマネジメントへ（戸田洋正　JCCM代表）
　(4)　高いリターンに挑戦する開かれたガバナンスのモデルを（中島勇一郎　Crimson Phoenix代表）
7　議論・研究成果（パオラ・サバッキ　チャタムハウス国際経済部長）

○研究討論会Ⅳ：日本は世界に投資・貢献し世界の投資を呼び込めるか——日本・ヨーロッパのインフラ投資と成長戦略／世界への投資・貢献、世界からの投資の呼込み、世界と日本の雇用、技術革新等への貢献（第6章）
1　ロビン・ニブレット　チャタムハウス所長による開会の辞
2　武藤敏郎（元財務事務次官）大和総研理事長による基調講演

3 Session 1：我が国のPPP／PFI市場活性化に向けての示唆
 (1) 我が国のPPP／PFI市場の特徴と潜在的可能性（黒木重史　日本政策投資銀行ストラクチャードファイナンス部課長）
 (2) 日本市場への新規参入する際の事業者としての視点（ジャン＝セルジュ・ボアサヴィ　Vinci（フランス）国際部長）
 (3) 透明性が高くわかりやすい投資を好む年金投資家（ヤン＝ヴィレム・ルイスブルック　APGアセット・マネジメント上級ポートフォリオマネージャー）
 (4) PPP／PFI活用のメリットと政府の役割（ダグラス・シガース　英財務省インフラUKファイナンス部門長）
 (5) 海外機関投資家の資金を呼び込むための諸条件（デボラ・ズルコウ　アリアンツ・グローバルインベスターズチーフインベストメントオフィサー・インフラデット部門長）
 (6) PPP／PFI改革に向けた日本政府のリーダーシップに期待（ティエリー・デオ　メリディアン・インフラストラクチャーCEO）
4 Session 2：世界への投資
 (1) 日本企業のインフラ海外展開支援と世界への貢献（待井寿郎　国際協力銀行欧阿中東地域統括）
 (2) 海外展開すべき日本国内のPPP／PFI市場整備の課題（坂爪敏明　欧州復興開発銀行シニアエコノミスト）
 (3) 海外展開に不可欠な非技術的要素と日欧が協力できる

課題（林春樹　三菱商事インターナショナル（欧州）社長）
5　Session 3：日本への投資
　(1)　ジェイスン・ジェイムズ　大和日英基金事務局長による開会の辞
　(2)　アベノミクスは改革か新たな規制の導入か（フィリップ・ハワード　GRジャパン共同設立者）
　(3)　日本市場のビジネス環境の強み・課題とアジア市場への広がり（有馬純　JETROロンドン事務所長）
　(4)　貿易・投資でのアジアや英欧との協働と情報発信力の強化（ホスック・リー＝牧山　ECIPE研究所長）
　(5)　「世界のなかの日本」という立ち位置——求められる英国流の発想の転換（小松啓一郎　KRA代表）
　(6)　外国投資家と日本企業の間でのpartnershipsとcollaborations（ジェイムズ・ハリス　クリーンエネルギー・ヨーロッパAMEC所長）
6　議論・研究成果（ジェイスン・ジェイムズ　大和日英基金事務局長）

○総括：アベノミクス、構造改革と国際競争力〈甘利明経済財政政策担当大臣による基調講演〉（第7章）

4回の研究討論会と総括発表会をふまえた
パネルディスカッション
○日本（8月31日：名古屋、9月2日：東京）でのパネルディス

カッション(第8章)

〈Japan's New Roles in Changing Asia〉麻生副総理／財務大臣等がスピーチ

〈The Global Strategy for ATTRACTIVE JAPAN "Omotenashi"〉大臣等招聘

○欧州(10～11月:ベルギー・ブリュッセル)でのパネルディスカッション(第8・9章)

〈THE 'RETURN' OF JAPAN：INVESTMENT──A DIALOGUE WITH EUROPE〉日英欧の産官学の専門家がスピーチ予定

以上の日欧対話をふまえた全体総括パネルディスカッション

(2015年1・2月:東京とロンドン)

第 3 章

研究討論会 I
日本は世界やアジアの金融センターでいられるか
――日本の金融市場と投資／アジアの金融センターとしての日本・東京

§3.1 なぜいま、金融センターを議論するのか

チャタムハウスの視点

　日本は大きく動き出している、復活に向けた日本人の鼓動を感じた。東京はすでに世界やアジアの金融センターではないか——チャタムハウス国際経済部長のパオラ・サバッキ（Paola Sabacchi）女史が2013年夏に日本で各界の要人と会い、ロンドンに帰って私たち国際経済部チームに熱く語った直感から、日本に関する一連の事業・研究が始まっています。そもそも金融センターとは、何の中心で、何を世界やアジアのなかで集中して取引し、どのような経済活動・役割を担っている場所なのでしょうか。2013年1月17日、ロンドンのチャタムハウスで研究討論会Ⅰが行われました。

　まず金融のセンターですから、ヒト・モノ・カネのうちのカネである資金が集まり、消費・投資または貯蓄・留保される必要があります。そして、経済活動の血液として、経済が活性化・成長し、他国との交流・取引・国際的な貿易が拡大するのを金融経済として支え、世界やアジアでヒト・モノを含めた実体経済と活動をともにしていく必要があります。また金融には、主に市場を通じて資金調達して市場等で投資等する直接金融と、銀行など金融機関が預金等の貯蓄から資金調達したものを投資家等が借り入れ、消費・投資等する間接金融があります。米英などアングロサクソン流経営・経済では直接金融が主

体で、大陸ヨーロッパや日本を含むアジアでは間接金融が主体だといわれています。直接金融のセンターでない、間接金融のセンターでは金融センターではないのでしょうか。金融の中心としてあげられる、米国のニューヨーク、英国のロンドン、大陸ヨーロッパのフランクフルト、日本の東京、アジアの香港、シンガポール、上海などにはどのような特徴・違いがあるのでしょうか。そもそも、だれがどのように金融センターか否かを決めるのでしょうか。

　サバッキ部長が提起した「日本、東京はすでに世界やアジアの金融センターではないか」という仮説に対してロンドンで活動する日本人は、特に金融界の方や金融を専門としている方々ほど、ニューヨーク・ロンドン、そして香港やシンガポールになれるわけがない、ロンドンでそんな議論をしても日本や東京の欠点ばかり批判されて恥ずかしいことではないか……、という反応を示しました。私たちチームも同じように考え、何度かサバッキ部長と議論しました。変化する世界でいろいろな金融センターがありうる、むしろ世界に必要なのではないか、特に世界への情報発信力のある英国ロンドンで定義すれば、直接金融、世界の金融のための金融活動を行っているロンドンが唯一無二の金融センターということになるが、金融センターとは何か、各都市はどんな特徴があるか、事実に基づく議論をチャタムハウスで行い発信しようということとなりました。

日本の真の現実＝真実を研究討論する

　日本には世界第2位の家計金融資産と世界第3位の経済があります。しかし東京の世界の金融センターとしての地位は、アジアの他の金融センターである香港、シンガポール、そして上海に追い上げられ、ある面では追い越されています。日本政府は、さまざまな面から金融・資本市場をさらに発展させようとしています（2013年6月14日「日本再興戦略」、同年12月13日金融庁・財務省「金融・資本市場活性化に向けての提言」、2014年6月12日「金融・資本市場の活性化に向けて重点的に取り組むべき事項（提言）」等）。日本には巨額の国債がありますが、民間ファンドやさまざまな政府系のソブリン・キャピタル・ファンドを活用して日本の投資を戦略的に呼び込もうとしています。また国内外の社債市場を拡大・活性化して、世界から日本に資本取引を呼び込もうとしています。さらにアベノミクスの三本の矢、大胆な金融政策、機動的な財政政策、民間投資を喚起する成長戦略にあわせ、2020年東京でのオリンピック・パラリンピック開催が決まったことは、2012年ロンドンオリンピック・パラリンピックの時に英国の他の地域での資本市場の発展にプラスの影響がみられたように、東京だけでなく日本全国に大きなインパクトを与えることとなります。

　金融は、次の第4章で述べる医療・医薬品等の産業と並んで、その経済社会への影響力の大きさから規制産業ともいわれ、新しい商品とその規制が、日米欧を三極とした先進国を中心にルールづくりが行われています。同時に金融は情報産業で

もあります。リーマン・ショック後に米欧中心に規制の動きが出たものの、金融のための金融といえる新しい商品が開発され、金融経済が実体経済の規模と比べ拡大し続けるなか、金融の情報産業としての側面は大きくなってきています。金融はヒト・モノ・カネのうちのカネですが、経済の血液としてヒト・モノの情報も集め、金融・経済全体を強化する役割も担います。前述の「金融・資本市場活性化に向けての提言」が指摘しているように、今回チャタムハウスで行われた一連の研究討論会のような「金融の専門家・政策当局者が参加する国際コンファレンスの開催」や、そこでの議論・研究を受け私たちロンドンの日本関係者の有志の間で生まれたCIIE.asiaのようなたとえば産官学が一堂に会する「場」(日本版「ダボス会議」「チャタムハウス」)の創設を検討するなど、金融関係の情報ハブとしても、アジアにおける『国際金融センター』としての地位を確立することが重要と考えます。今回、世界の情報・金融センターかつ国際都市であるロンドンで、「日本の金融市場と投資／アジアの金融センターとしての日本・東京」と題し、いかに世界やアジアの金融センターでいられるか、日英欧の専門家等と議論し、世界に情報発信がなされました。

　本章では2014年1月17日に行われた研究討論会(ラウンドテーブル)Ⅰのもようをご紹介します。

図表３－１　研究討論会Ⅰのアジェンダ

**I Roundtable: Financial Markets and Investment in Japan
'CAN TOKYO BECOME A WORLD FINANCIAL CENTRE IN THE ASIA-PACIFIC AS LONDON IS IN EUROPE?'**

Agenda

Friday 17 January,
Chatham House, 10 St James's Square, London SW1Y 4LE

Opening remarks
Paola Subacchi, Research Director, International Economics, Chatham House

Keynote Speech
Hiroshi Watanabe, Governor, CEO, Japan Bank for International Cooperation, former Vice-Minister of Finance for International Affairs (2004-2007)

Session 1　Tokyo as a leading international financial centre

Tokyo as a debt-financing centre using JGBs, other bonds, huge financial assets, and the 'arrows' of *Abenomics* after 'the two lost decades' of deflation.

Chair: **Paola Subacchi**, Research Director, International Economics, Chatham House

Discussants:
Shumpei Takemori, Professor, Economics, Keio University; Visiting Scholar, l'Università Ca' Foscari di Venezia
Grant Lewis, Managing Director, Head of Research,

Daiwa Capital Markets Europe Ltd.
David Graham, Managing Director, Black Rock
Keisuke Arai, Chief Representative in Europe, Japan Exchange Group

Session 2 Tokyo as an Asia-Pacific and global mega-city

Huge domestic and international corporate bonds markets, leading financial markets, infrastructure, global corporates, highly-educated people, democracy, safe and ecological environment and the Tokyo 2020 Olympic: opportunities for local and international companies to expand their business in the Asia-Pacific region and the rest of the world for comparison with London in Europe and with Hong Kong, Singapore and Shanghai in Asia.

Chair: **Andrew Fraser**, Senior Adviser, Mitsubishi Corporation

Discussants:
Jun Haji, Deputy General Manager, Research Department, Japanese Bankers Association
John Nugée, Senior Adviser, Official Monetary and Financial Institutions Forum
Noriko Adachi, Director, Asian Headquarters Special Zone, Headquarters of the Governor of Tokyo, Tokyo Metropolitan Government

Closing remarks
Masao Uno, Minister (Finance), Embassy of Japan in the UK

§3.2 チャタムハウスからの開会の辞

チャタムハウス国際経済部長　パオラ・サバッキ

チャタムハウスにようこそ

　日本について一連の議論の最初の研究討論会にようこそ。ロンドンの英国人、欧州人、日本人がここチャタムハウスに集まり、いかに世界やアジアの金融センターでいられるかという大命題について、日欧の対話のなかから、何が日本、そして英国、ヨーロッパにとってのチャレンジか、問題の所在と方向性を浮彫りにしていきます。私はSession 1の議長を務めます。当初チャタムハウス・ルール（オフレコ・ルール）のもとで、参加者が所属を明かさず、事実のみに基づいて、各々の意見・経験を交換し、議論をアップデートしようと考えていましたが、日本への関心が非常に高く、本日の討論会もご覧のとおり大盛況のため、チャタムハウス・ルールでなく、オン・ザ・レコードでテレビカメラも入った公開の場で、より多くの多様な意見を交わすかたちで議論を進めたいと思います。

　日本の2％のインフレを目標とする「異次元の」金融緩和に続く、「日本の復活」を打ち出した、アベノミクスは世界を驚かせました。2013年6月、安倍首相は、ここロンドンのシティのギルドホールでスピーチされ、日本銀行の黒田総裁も、ここチャタムハウスの研究討論会で自身の金融緩和を世界に説明されました。金融危機からの脱却と構造改革に取り組むヨーロッ

パ、EU、独自の金融政策ができないユーロ圏の諸国にとって、アベノミクスはいま「最も興味深い経済政策」であり、特に第三の矢の構造改革は、日本の復活が本物となるか否かを決める「最も大きなチャレンジ」で、これは英国、ヨーロッパ、そして世界が直面し、日々議論し格闘しているチャレンジでもあります。

そんななか、2013年7月、当チャタムハウス国際経済部のチームの客員研究員が中心となって、この一連の議論・研究を企画しました。JETROロンドン、大和キャピタル・マーケッツ、大和日英基金、アストラゼネカ、日立ヨーロッパ、日本政策投資銀行の協賛と、ジャパン・ソサイエティ、在英日本商工会議所の後援、在英日本大使館などからの支援により、チャタムハウスが、この研究討論会の議論・研究で、独立した聖域なき議論・研究を世界に発信し、世界に貢献できることに感謝します。

日本の最大の課題は世界の課題

一連の議論のテーマは、どれも日本の「最も大きなチャレンジ」で、第1回「いかに世界やアジアの金融センターでいられるか」に続き、第2回は「世界に先駆けた超高齢化社会を財政、医療等がいかに克服、活用できるか」、第3回は「いかに世界に開かれた競争力ある企業の統治方式、会社、家庭、地域社会の行動様式をもつか」、第4回は「世界に投資し、世界の投資を呼び込み、いかに世界の経済社会、日本の雇用、技術革

新等に貢献できるか」です。これらはすべてヨーロッパ、そして世界が格闘しているチャレンジであり、問題の所在と方向性を浮彫りにしていきたいと思います。

　日本復活を本物にする鍵は、安倍内閣が日本再興戦略に掲げる第三の矢である構造改革の具体化にあります。その改革において、日本・東京が世界の金融センターとして情報・金融センターである国際都市ニューヨークやロンドンに並ぶ役割をどのように担い、アジアでの香港やシンガポールからのチャレンジをどのように受け止められるか世界が注目しています。本日はこのテーマについてここで議論していきましょう。

（Dr Paola Sabacchi, Research Director, International Economics, Chatham House）

研究討論会Ⅰのもよう

（2014年1月17日：チャタムハウス Joseph Gaggero Hall）

§3.3　基調講演

　　　　　国際協力銀行　総裁（元財務官）　渡辺博史

何によって金融センターを計るか

　金融センターとなれるか否かを検討するにあたって、まず金融センターを何によって計るか考えましょう。①取引の規模、②取引の多さ、利便性、③取引の性質、つまり何の取引の中核になっているのかも重要な要素です。世界が24時間市場となっている今日、ロンドン、ニューヨーク、東京と、時間の進行とともに、①取引の規模でみて大きな市場が順に開いてきますが、ロンドンからみると、ニューヨークが閉まってからロンドンが開くまでには相当の時間があるなか、②英語や英米法を使えるなどの利便性から、ここを埋める取引の多くが、シンガポール、香港で行われていて、これらが東京の競争相手です。

　次に、③何の取引の中核になっているか、取引の性質から、ニューヨークとロンドンを比較してみましょう。ニューヨークは、世界最大の実体経済を背景に、少なくとも当初は、米国の貯蓄不足を埋めるため、米国内への資金を吸収する機能を担っていましたが、ロンドンは、実体経済はこれに比較して小さく、世界全体に向けて資金を循環させる、ハブの機能を担っています。この点、シンガポール、香港は背後にある実体経済の規模は非常に小さく、ロンドン型です。上海は、国内支出も貯蓄も大きいので、支出の大きい米国型か貯蓄の大きい日本型か、政策のバランス次第でいずれにもなりえます。東京をはじ

め日本の市場は貯蓄が大きく、資金輸出機能を果たしています。これに対し、中国の市場は、いまは規制が大きいですが、これが緩和されていけば、マネー市場主体の香港と、株式市場主体の上海が一体化して１つの金融市場となりえます。

アジアの金融センターでいられる要素

それでは東京がアジア太平洋地域で主要な金融センターになっていられる要素として、どのようなものが考えられるでしょうか。

まず第一に、アベノミクスです。アベノミクス以前の日本は、財・サービスへの需要収縮で資金需要が低下する一方、高齢化により資金供給も減少し、資金の需給が国内で縮小均衡、自己充足していました。アベノミクスで需要が刺激され、デフレ傾向が緩和され出すと、資金需要が増加する一方、高齢化により予想よりはゆっくりとですが資金供給は減少し続けているため、資金不足となります。これまでは、国債発行残高が家計貯蓄の範囲内に収まっていましたが、経済成長により資金を海外から受け入れる必要が出てきています。また、円相場もさらに安定化し、過大な円高への懸念も薄れて投資家に円で取引するインセンティブが生まれてきています。こうした傾向は、東京が主要金融センターになるために必要な要素を得るために、絶好の機会を提供しているといえます。

第二に、日本が失われた20年を経験した時、アジアは高度成長段階にあり、東京は、この時蓄積したアジアの巨万の貯蓄を

日本国内およびアジア地域での産業のための資金調達に貢献しうる地位にありましたが、アジアのより効率的な香港・シンガポール市場の活躍によって日本の金融機関はアジアのこれらの貯蓄を生かしきれていませんでした。いまや、これを活用する絶好の余地・機会を提供してくれています。アベノミクスによる異次元の量的金融緩和もあって、過剰な短期資金と長期投資の不足がアジアの経済全体に深刻な不均衡をもたらしているなか、アジアの高い貯蓄を背景とする巨万の長期資金の登場は、東京に、これを解消するチャンスを与えています。

また、2005、2006年にはアジアで行われるプロジェクト向けに大陸ヨーロッパから全体の約20％の資金が入っていましたが、ユーロ危機によってこうした資金が減り、日本を含むアジアの銀行が活躍する余地が生まれています。

日本・東京の強さと将来

今年（2014年）G20では長期資金の確保が議題となり、APECではインフラ投資促進が議題となっています。これは金融機関や銀行が世界とアジアで大きな役割を果たすチャンスを与えています。

では日本・東京にどんな市場をつくればよいでしょうか。他のアジアと同様、銀行中心の資金供給が中心となり続けるでしょうが、なかでも投資銀行部門や証券部門が発展する必要があります。アジアの特徴や銀行システムへの影響を考慮しつつ、新たな取引をつくり出すことが重要です。しかし、新たに提案

されているインフラ債については、主に年金基金である機関投資家の反応が鈍く、当初期待した効果が出るか不明です。シンガポールや香港は、背後の経済規模が小さいため小回りが利きますが、日本は巨額の国債と貯蓄で「大きな船は簡単には向きを変えられない」状態であり、変化には時間がかかります。

　日本・東京に資金を呼ぶのによい要素は、第一に、アベノミクスで国内の各産業に大きな需要と資金需要が生まれ、国外でも成長を続けるアジアに位置し、そのなかであと20年は東京がアジアの貯蓄を吸収してアジアの中心市場であり続けることと考えられます。逆に競争相手である香港・シンガポール・豪州にはそうした実体経済の需要がありません。第二に、今後5～10年程度は円相場がさらに安定化し、投資家が円相場の変動リスクを心配しなくてよい程度にオペレーションコストが下がっていることです。第三に、日本で耐震のビルが新築され、ビジネス・スペースの供給が増えており、かつて、世界一物価が高いといわれた東京はいまや第12位となり、競争相手であるニューヨーク・香港・シンガポールより低順位になっています。

(Mr Hiroshi Watanabe, Governor, CEO,
Japan Bank for International Cooperation,
former Vice-Minister of Finance for
International Affairs (2004-2007))

質疑応答

会場参加者：規制緩和について、東京が主要な金融センターになるために何より必要なのは、現在の複雑な規制を変え、短

く単純明快な規制にすることではないかと思いますが、いかがでしょうか。

渡辺：日本はまだしも、アジアの規制はカオス状態といえるほど複雑となっています。どの国でも、市場の発展段階に応じて規制が強化される時期がありますが、そのうち必ず規制緩和が求められます。ご指摘のように短く単純明快な規制を中心に置いた規制改革（re-regulation）が重要です。

§3.4 Session 1：主要な国際金融センターとしての日本・東京

東京は失われた20年のデフレを経て、アベノミクスのもと、日本国債ほか債券、巨額の金融資産を有す金融市場として主要な国際金融センターたりうるか

§3.4.1 金融センターとなる鍵

慶應義塾大学経済学部　教授　竹森俊平

第三の矢の現状

アベノミクスの第一、第二の矢はこれまで非常に成功していますが、アベノミクスの特に第三の矢のゴールとチャレンジについて述べます。

第三の矢の一環として、アスピリンのインターネット販売の記事がありましたが、より重要なのは、政策が首尾一貫しているかといった根本的問題です。この点では、資源配分に偏りが

みられ、現状では必ずしも首尾一貫し成功し政策となっているとはいえません。

最大の構造改革は選挙制度改革と経済成長戦略

まず、選挙制度の問題として、一票の格差によって偏りが生じています。一部地域の一票の力が東京の２倍以上となっており、これにより、人が住んでいない地域に公的資源が使われ、住んでいる地域では使われていません。

国から農村部への公共投資が、2000年代に入って都市部への公共投資を越して伸びています。またTPPやFTAの議論でも農業保護が問題となりますが、これも資源配分の偏在に原因があります。私がいまサバティカルで滞在しているイタリアでは憲法裁判所が、選挙制度を改革しなければ次の選挙を行えない決定を下しました。日本でも違憲判決が出ているいま、政治の対応が不可欠です。この選挙制度こそ根本的な構造改革であり、安倍首相は本気で改革を進めようとしているか不明です。また、東京オリンピック招致の経済効果は懐疑的ですが、オリンピックを口実に東京への投資を増大させ、資源配分の偏りを是正していく効果は期待でき、首都高速の整備等やることは山ほどあります。

安倍首相の通算在職期間は、21世紀では小泉元首相に次いで２番目ですが、コイズミノミクスとは何だったのでしょうか。これを一言でいえば輸出主導経済といえるでしょう。2000年に入って日本のGDPに占める輸出の割合は文字どおり倍になり

ましが、これは、小泉内閣の政策の効果ではなく、グリーンスパンFRB議長のもと、米国の消費の好調に助けられたものでした。アベノミクスにとってのチャレンジは第三の矢であり、構造改革の進展が不可欠です（韓国では1997年の通貨危機の際にいくつか構造改革を実行し、これが輸出主導の構造を改革しましたが、2012年の輸出依存度は依然60％以上です）。コイズミノミクスによる好景気は、2007年のサブプライム危機で頓挫しましたが、同様の危機がなければ、アベノミクスは長続きする可能性があります。

　第三の矢とは、実は米国経済の力強い景気回復かもしれません。アベノミクスの第三の矢の成否が米国の経済回復に依存しているとしても、日本企業の経営環境は好転しています。アベノミクスのもと、黒田日銀総裁の異次元金融緩和により円安が進み、低金利と高い貯蓄率でLBOの好機となっています。ロンドンで多くの投資家と話をしましたが、日本でなぜ、自社株買いが盛んに行われているのか理解に苦しむとの指摘がありました。負債による資金調達は容易で、株価は上昇しており、自社株を利用したLBOで、日本経済を底上げする絶好のチャンスではないかと思います。現在の経済状況で、2020年オリンピックがあれば、東京がアジアの主要金融センターになる可能性も高いといえます。

（Prof Shumpei Takemori, Professor, Economics, Keio University; Visiting Scholar, l'Università Ca' Foscari di Venezia）

§3.4.2 東証・大証統合と日本取引所グループ（JPX）の取組み

東京証券取引所　ロンドン駐在員事務所長　荒井啓祐

　日本の証券市場の状況について説明します。市場運営者たる東京証券取引所および大阪証券取引所は2013年1月に、持株会社、日本取引所グループ（Japan Exchange Group（JPX））を設立し、以来、現物市場、派生商品市場について、取引から清算・決済までワンストップサービスを提供しています。統合後の2013年、現物市場の取引額は米国市場を除けば最大となり、その内訳を見ると、外国人投資家の割合は2013年11月で56%を占めています。また上場企業数は3,400社、時価総額も4.5兆ドルといずれもロンドン証券取引所を越えるなど、まさにグローバルな取引所としての地位を築いております。JPXの強みは、先進的なITを利用したシステムにもあり、現物市場、派生商品市場における投資家の多様な要望に応えており、そのため両市場ともに流動性の高い市場となっています。

　現物市場に関連して、2014年1月6日、新たな指標としてJPX-NIKKEI 400を導入し、国内外の機関投資家に利用されることが期待されています。2014年1月1日には日本版ISAとして、個人投資家が一定の条件で税制免除が受けられるNISAが導入されました。今後も、JPXは、現物・派生双方の市場の魅力をいっそう高めていくことで、個人投資家および外国人投資家が証券市場の利用を促し、もって、東京を主要な金融セン

ターにすべく努力を続けていきます。

(Mr Keisuke Arai, Chief Representative in Europe, Japan Exchange Group)

§3.4.3　東京の課題は国際化、オープンさと規制改革
ブラックロック　マネジングディレクター　ディビッド・グラハム

　世界の金融センターになりたいという都市はたくさんあるなか、東京は明らかに立派な金融センターです。ニューヨーク、ロンドン、香港、シンガポールに次ぐ世界で5番目に大きな市場です。しかし東京の問題は、どの程度、国際化できるかという点です。

　近年こそ東京は香港やシンガポールの興隆に押されていますが、日本経済が強くあり続ける限り、高い貯蓄率と巨大な年金基金は、日本の巨大金融機関が国際化するか否かにかかわらず、これらに利益をもたらし続けると思います。経済規模が大きい日本は、それだけでアジアで重要な市場で、ブラックロックは日本の株式・債券市場に大きく投資していますが、これらの取引を特に東京で行わなければならない理由はなく、現にアジア太平洋地域のヘッドクオーターは香港にあります。日本株への投資でも、東京に拠点を置く必要がなくなっています。これは主に、香港は、ムンバイ、上海、シンガポール、シドニー、東京をカバーできるという地理的理由からの決定です。ロンドンが現在のように金融センターとなった要因として、主に英語を使用することと年々規制を取り除きオープンにしていこ

うという意思があったことが重要だと思います。現在検討されている新たな課税措置は、こうしたロンドンの優位性に水をさすと懸念されています。

　今後半世紀、アジア太平洋では香港が、そのオープンさ、税金の安さから、いちばんの金融センターとなるとみています。香港の後背市場は小さいですが、中国が後背に控え、その起業家精神が息づいています。香港自身の貯蓄は少ないですが、香港の中国本土、上海へのオープンさから、その貯蓄を呼び込むことが可能で、香港―上海が今後半世紀のトップの金融軸となると考えています。シンガポールには大きな貯蓄がありません。東京は、その株式市場の規模、インフラのよさ、巨大な貯蓄と年金基金の存在から、かなり重要であり続けると思います。

　しかし東京のアジアの金融センターとしての地位に関しては、まず、英語がより使われることが重要ですが、欧州のフランクフルトやチューリヒのような存在となりかねない懸念があります。その理由は、税、外国人の起業の困難さなど十分にオープンでなく、何より国際化されていないからです。東京は民間貯蓄が大きく、株式市場の規模も大きいですが、外国人労働者の受入れは進んでいません。また文化的にもグローバル化が進んでおらず、英語が十分使えず、外国人にとってのアクセスも悪く、何より妻子が住みたいと言い出しません。ビジネスをする際のプロフェッショナル・サービスへのアクセスも悪く、外国人弁護士、外国人会計士の数も十分ではありません。ま

た、書類作成も困難で、規制と官僚制が国際化の障害となっていると思います。

(Mr David Graham, Managing Director, Black Rock)

§3.4.4 先行する香港・シンガポールと東京市場に求めるもの

大和キャピタル・マーケッツ　マネジングディレクター
グラント・ルイス

　東京が世界第5位の国際金融センターとはいっても、香港やシンガポールの水準からは大きく引き離されていると思います。東京は、勃興期のニューヨークやロンドンが直面しなかったであろうと思われる新たな課題に直面しています。東京が、アジア太平洋地域で主要な金融センターとなることを目指すのであれば、アベノミクスの第一の矢が最も重要な要素となります。もし日本経済が再び力強く成長し始めれば、より多くの貯蓄が金融サービス産業に向けられるでしょう。

　規制緩和も英語の使用促進も東京市場に不可欠です。金融業者にとっての東京の魅力を高めるためには一段の措置が必要です。そして、アベノミクスの第三の矢（構造改革）も第一の矢と同じくらい重要だと考えます。

(Mr Grant Lewis, Managing Director, Head of Research, Daiwa Capital Markets Europe Ltd.)

§3.4.5 ディスカッション

サバッキ(議長)：東京が現在直面しているのは、ちょうどロンドンが1980年代に興隆してきた時と同じ経験で、経済が弱体化したところから成長を加速させていく局面でのことでした。東京とロンドンの金融センターとしての違いは大きいですが、現在問題となっているのは、東京の能力というより、東京が自らもっとオープンになり人々を惹きつけ、アジア随一の金融センターになろうという意志だと思います。

グラハム：東京の金融市場経済が日本の銀行に完全に牛耳られているのに対し、ロンドンでは、金融セクターのわずかな部分しか英国の企業が所有していません。また、地理的な偶然も看過できず、ロンドンは大陸ヨーロッパに近いこと、その統一市場へのアクセスがよいことから、これほどまで重要な金融センターとなりました。この点、香港が地理的に東京より優れていることとなります。

ヌジー(John Nugée、OMFIフォーラム顧問)：アジア太平洋で主要なビジネス・センターであることと主要な金融センターであることとは随分違います。竹森教授の主張とは違い、世界の金融センターになるプロセスで国内経済は重要ではないと思います。実際、香港もシンガポールも巨大な国内経済を有していません。

　日本は国際金融センターになる以前に、まず円相場を安定化させ、顧客や投資家が円で運用できる機会を提供してはじ

めて、金融センターになる他の要素を考える余地が生まれるのではないでしょうか。

竹森：円の価値を強め、日本の生活水準を高めることは重要ですが、実体経済を改善することが日本の目標です。実体経済と金融経済は相いれないものです。

ヌジー：必ずしも相いれないことはなく、逆に両者が補完し合うのだと思います。東京の対外直接投資が増え経済状況がよくなれば、より多くの金融機関が競争しよりよいサービスを提供し、金融市場の状況を改善させていきます。こうした金融機関は、外国企業には困難な、日本の巨額な家計金融貯蓄資産を容易に活用することができます。ロンドンがなぜ主要な金融センターになったかといえば、明らかに新しいアイデアや外国投資に対するオープンさゆえです。

渡辺：外国為替運用における円運用について、かつては一方向での円高によって円取引のコストが高く、円運用の規模が縮小してきていましたが、いまや円の価値は安定化しています。

フレイザー（Andrew Fraser、三菱商事顧問）：日本の政策決定者は、東京を国際金融センターにするリスク、日本の銀行システムが抱えるリスクを、しっかり考えているか疑問です。

渡辺：日本の銀行システムは、銀行のもつ巨額の貯蓄と流動性からリスク・フリーで、円の価値が安定してきていることから、現状では安定し、信頼性も増しています。東京の銀行セクターは、金融センターであることに伴うリスクに十分対処

できる能力を備えていると思います。
サバッキ(議長)：東京がアジア一の主要な金融センターになれるか否かは、中国次第です。人民元はまだ国際通貨とはなっていませんが、明らかにアジアの地域通貨とはなっています。上海は、現在は国内金融センターですが、このまま国内の金融センターにとどまっているとも思えません。こうした中国勃興の過程は、日本にとって必ず経済的、金融的、政治的なチャレンジとなり、これは避けて通れない問題です。
竹森：中国に金融資産が集まることで人民元は増価し、中国の輸出にダメージを与え、日本の実体経済にはプラスに働くと思います。

§3.4.6 サバッキ議長による中間総括

日本は、国内経済に重きを置き「極東のスイス」のような役割を担うのか、東アジアでより大きな地政学的役割を果たすのか、意志が問われています。渡辺総裁がスピーチしたように、貿易や製造業で中国が大きな役割を果たしたとしても、中国がいまロンドンが果たしているような役割を担うまで、あと20～30年はかかるので、東京は、その間、香港などからチャレンジを受けながら、より大きな役割を果たせる可能性があります。

§3.5 Session 2：アジア太平洋そして世界の巨大都市としての東京

日本・東京には、巨額の国内外債券市場、先進的金融市場・インフラ、世界的企業、高い教育を受けた国民、民主主義、安全・エコロジーのある環境、そして2020年東京オリンピック・パラリンピックの開催が予定されている。ここでは欧州のロンドン、アジアの香港・シンガポールそして上海と比較して、国内外の企業がアジア太平洋地域で事業展開する際の国際巨大都市東京について考える。

§3.5.1 セッション議長による開会の辞——世界の巨大都市東京はアジアや世界の金融センターか

三菱商事　顧問　アンドリュー・フレイザー

　日本と日本経済の特徴を過小評価せずしっかりとらえ、議論を進めるべきと考えます。東京の都市圏はオランダ一国と同じ広さで、人口も世界最大です。まさに世界最大の巨大都市で、人口減少を加味しても2020年オリンピック・パラリンピックの頃の首都圏人口は3,500万人と推計されています。日本を訪れたある英国の大臣は、「あれがデフレだったら、これほどいいことはない。清潔で、犯罪は少なく、交通機関は整備され、みんな幸せに暮らしている」と語っていました。失業率は4％以下、犯罪率は低く、中国とともに貿易黒字による外貨準備をもっていることも、東京の信頼感を高めています。こうした点は、日本が西洋諸国と比べても健闘している点です。

他方、日本のGDPのたった３％分の金融資本しか外国人が所有しておらず、英国の54％と比べ少なく、外国金融機関が東京で事業運営することの困難さが表れています。

　（Mr Andrew Fraser, Senior Adviser, Mitsubishi Corporation）

§3.5.2　鍵となる日本とアジアの新興市場国との関係
全国銀行協会　金融調査部　次長　土師潤

　日本は高齢化に直面しており、人的資源、財、資金、情報のクロスボーダーでの交流を活発化させることが優先課題となっています。日本の金融機関と他のアジア経済との関係は急速に強まっており、日本の金融機関が積み上げてきた巨額の資産を、特にリーマン・ショック時にアジア経済に提供しました。日本の金融機関は、まさに他のアジア諸国の金融仲介を始めるようになったところといえます。

　リーマン・ショック後、機関投資家が短期的な利益を求め新興国企業に投資した結果、短期利益率のよい不動産投資に集中しバブルが起きたImpatient Investorsの問題も指摘されていますが、日本の金融機関は日本のPatient and Intelligent Investorsとともに、アジアの成長産業へと育っていく必要があります。アジア開発銀行研究所の試算によれば、2010〜2012年にアジアで必要なインフラの額はおよそ８兆ドルで、インフラ投資には特にPatientでIntelligentな視点が不可欠であり、日本の銀行は、非常に重要な役割を果たすこととなります。東京におけるアジア社債市場のさらなる振興やアジアにおける金

融仲介機能の拡大は、日本の強固な金融システムや資本市場と相まって、日本の銀行や金融機関がアジアの実体経済の成長に寄与する機会を与えてくれるはずです。

(Mr Jun Haji, Deputy General Manager, Research Department, Japanese Bankers Association)

§3.5.3　東京が国際金融センターではない3つの理由
　　　　——特異的・官僚的・国内的

OMFIフォーラム研究所　顧問　ジョン・ヌジー

　日本・東京市場の真の問題点に焦点を当ててみたいと思います。東京は、たしかに巨大都市で巨大な国内社債市場、国債金融インフラと高い教育を受けた国民をもっています。東京にはすでに何でもあるのに、なぜ、世界一の国際金融センターでないのでしょうか。私は3つの特性、すなわちidiosyncratic（特異的）、bureaucratic（官僚的）、domestic（国内的）が究極の原因ではないかと思います。

　まず、第一にidiosyncratic（特異的）について、人がある社会やその行動様式について、自分たちが理解できる共通項から何とか説明を受け理解できなければ、人はその都市での事業方法について学ぼうとさえしなくなってしまうという根本的な問題です。これに対しては日本・東京が世界に対し、世界の共通項との関係を示しながら情報発信する力や場、努力が必要です。

　第二のbureaucratic（官僚的）について、主要金融センターの候補としては、ビジネスに対してオープンで簡潔・迅速に官

僚的な障害を取り除く必要があります。社会、法システムがアクセス容易でないと、市場参加者は他の場所を探してしまいます。参入がむずかしい国にわざわざ手間をかけて入っていこうとはせず、簡単なところを探すようになります。私は英国で、会社を29分でつくったことがありますが、外国人が日本でやったらどれだけかかるでしょう、29週ですむでしょうか、29カ月でしょうか。たとえば、上海では、中国社会が非常に官僚的であるため、外国人は皆、香港のほうを向いて仕事をしています。

　第三のdomestic（国内的）については、国内市場の存在と深くかかわります。大きな国内市場をかかえる東京では、円で多くのビジネスが行われています。日本・東京は国内市場の規模が大きく、自国ですべて事足りてしまうため、違った新しいビジネス機会を求めて国際化を強いられることがありません。国内市場があまりに小さい香港・シンガポール等の金融センターでは、こうしたことは起こりません。

　これらをふまえ、主要な国際金融センターでいられるか、またはなれるかは、世界やアジアに必要で東京がもつニッチな特長を見つけ発信していくこと、外国人や外国資本を歓迎すること、そして運がいいことではないでしょうか。

（Mr John Nugée, Senior Adviser,
Official Monetary and Financial Institutions Forum）

§3.5.4　世界に開かれた国際ビジネス都市東京の魅力と東京都の取組み

東京都総合特区推進担当　課長　安達紀子

　東京には、英国をはじめ世界中の企業が集積しています。Fortune Global 500の企業のうち48社（2012年）が東京にあり、都市として世界一の集積です。また、日本に拠点のある外国企業の76％は東京に本社を置いています。

　東京は、以下の理由からビジネスをするのに世界で最も魅力のある都市です。

　第一に、人口の集積するメガシティという観点でみると、東京圏は2009年で3,650万人、2025年でも3,710万人と世界一の都市圏であり続けます。その市場規模は巨大であり、また、高齢化対応ビジネス、再生可能エネルギー関連ビジネス、ICTビジネス等の新たな市場が溢れ、そこで成功している外国企業も多数存在します。

　第二に、トレンド、イノベーション、品質の高さのいずれにおいても、東京は世界最先端の都市です。東京で生まれ、磨かれたさまざまな製品、トレンドや研究成果等が、東京からアジア、世界へ広がっています。

　第三に、ビジネス環境も安定しており、Political and Economic Risk Consultancy's Annual Report（2012年）で世界第3位、Intellectual Property Rights Index Ranking（2013年）で世界第2位（香港は第22位、中国本土は第60位）と、ビジネス

上のリスクが非常に低い都市です。

　第四に、日本の政治、経済、文化の中心である東京には、治安のよさ、クリーンな大気をはじめ、ショッピングや食事、文化も存分に楽しむことができる生活環境が整っています。

　第五に、新たな政策として、日本政府は東京を「アジアヘッドクォーター特区」に指定しています。東京都は、特区に進出する外国企業に対し、法人税の優遇、補助金、無償コンサルティング等の支援を行っています。

（Ms Noriko Adachi, Director, Asian Headquarters Special Zone, Headquarters of the Governor of Tokyo, Tokyo Metropolitan Government）

§3.5.5　ディスカッション

ヌジー：国内経済の強さによって、日本・東京が、国際金融センターになる動機が小さくなっているのではないかと思います。金融機関は国際金融の業務運営より国内市場への対応を強く迫られており、国際金融センターであることと国内経済・市場への対応が相反しているようですが、東京はその両方を追求することができるのでしょうか。

竹森：渡辺総裁が大きな船は向きを変えられないと話されましたが、特区はこの問題を解決する可能性があります。香港や上海に対抗する大きな武器として、東京都は、特区設定によって、香港型金融センターを再現させようとしているのではないでしょうか。

ヌジー：たしかに問題解消の突破口になりえますが、国内経済・市場が強い日本の中心である東京に、金融センターのための特区を設定するのは非現実的です。

特区に関しては、ダブリンやチャンネル諸島にあるように、特段目新しいものではありません。むしろ、東京は現状で十分なのではないでしょうか。国際化を進めるには、企業を説得することよりも、従業員を説得することよりも、配偶者を説得することが重要な気がします。外国企業従業員の配偶者が住みたくなるような魅力を提供することが大切だと思います。

渡辺：日本企業は、歴史的に国内経済・市場にあまりに大きな関心を寄せてきたため「ガラパゴス現象」といわれるような世界の実情や需要から乖離した、日本独自の経済・市場や製品をつくってきました。こうした傾向も変化しつつあり、韓国企業が国内市場の限界から海外に出て行ったのと同じ動きを始めています。

フレイザー(議長)：特区に関して、そもそも優遇措置というのは、英国ウェールズの例をみてもわかるとおり、結局ないほうがよかったという場合が多いものです。

日本の取締役会がこれまで、株主よりも経営に近かったことが、日本企業をターゲットとしたM&Aが少なかった原因ではないかと思います。配偶者に関していえば、香港やシンガポールならメイドを雇うことも普通でしょうが、東京では高すぎると思います。

土師：日本の銀行は、近年アジアでの活動を活発化させていますが、これは、本邦企業のアジアへの進出に伴う融資や現地のプロジェクトファイナンスのためだけでなく、いわゆる「トランザクションバンキング」の必要性から進出しているためでもあります。

安達：外国企業従業員の家族への配慮という点では、特区において英語が通じる病院や学校の整備が進んでおり、教育や医療機関に関する英語による情報提供も行っています。

また、特区にある東京国際空港（羽田空港）の国際便が今後ますます増加するほか、生活費に関しては東京はシンガポールよりも安いのが現状です。

§3.6 議論・研究成果

§3.6.1 アベノミクス第三の矢と日本・東京の国際金融センター化

在英国日本国大使館　財務公使　宇野雅夫

アベノミクスの三本の矢の実施は、日本のマイナスの成長トレンドをプラスに好転させます。日本・東京が主要な金融センターでいられるか否かについて、地理的な問題は残るものの、移民政策などでの後退、使用言語の問題などは、日本政府の強い意思によって解決が可能です。アジアは依然として成長のための資金を必要としています。日本・東京が、自らをアジア太

平洋地域を通じた金融取引・運営等のセンターとして位置づけることで、それが実現するきっかけとなると思います。2020年東京オリンピック・パラリンピックは、こうしたセンターとなるスタートとなりうると考えます。

(Mr Masao Uno, Minister (Finance), Embassy of Japan in the UK)

§3.6.2 チャタムハウスの研究成果と世界の協和共栄への実践研究

　チャタムハウスは、研究討論会、セミナーなどを通じ、会員や研究成果をみた世界の人々に、世界に知見を広げ、各自各国での経験・情報を共有し、各自の意思決定（Decision Making）やその説明・正当化（Justify）・発信といった実践に活用してもらい、世界の協和共栄を目指す、特定の国や企業、団体に所属せず、政治的中立性や独立性を保っている、シンクタンク（Think Tank）です。第1章で述べたように、その時々の世界が直面するチャレンジへの対応、意思決定やガバナンスを求められる具体的な課題について、英米欧をはじめ世界の主要企業・団体、産官学の指導者、ジャーナリストや大学・研究機関の専門家や関係者、関心をもつ人々が一堂に会し、多くの場合、チャタムハウス・ルールのもと、独立した聖域なき議論を行いながら、最も重要な事実と論点、実践の鍵など絞り込んでいきます。

　この1回の研究討論会で、どの程度深く独立した聖域なき議論を行うことができ、最も重要な事実と論点、実践の鍵などを

絞り込むことができたのか、読者の皆様はどうお感じになられましたでしょうか。英米欧をはじめとした国々では、学校でも初等教育から議論やディベートの訓練がなされ、会社、家庭、地域社会でも、自分たちにとってよい、より正解に近いルールを、自分たちで議論してつくり変えていこうとしています。本書のように、これを書籍にまとめたり、transcriptの要約にまとめたりする活動自体、議論と同様、チャタムハウスでは、真実と正解に近づく終わりなき研究活動と考えられています。そして、その過程で明らかとなってくる事実や論点に基づき、同時に、新たな切り口で、より実践的な研究討論会やセミナーを企画立案、実施していくことも研究活動とされ、こうした基本的な考え方により、チャタムハウスは、世界において情報の求芯力と発信力を高め続けているのです。

日本は世界やアジアの金融センターか

　この問いに対しては、日本・東京が世界第三の経済大国である実体経済を背景にもつことから、世界的な規模の大きなグローバル金融センターである事実はあり、これを否定する議論はありませんでした。しかし、金融が情報産業であり、その情報が世界的に英語を共通言語としてやり取りされ、英国はロンドンを世界の情報・金融センターとして戦略的につくりあげてきた歴史があります。さらにこのロンドンを範にし、地理的に便利な場所である香港、シンガポールが金融センターとして発展してきたという歴史があります。この現実をふまえると、はた

して日本は広く世界やアジアのプレーヤーが参画する国際金融センターたりうるかとの問いに対しては、他の市場がもつ要素に欠けるところが多く、チャタムハウスの英国人からみて、相当リードされているとの議論が大半でした。

日本・東京が、世界やアジアのプレイヤーが参画する国際金融センターになるために必要な視点として、

① ダイナミックな投資……外資系損保が積極的に投資をし一定の成功をしているが、1990年代の「飛ばし」やオリンパス、ノンバンクのスキャンダルの印象のみが残っており、主要な外資系銀行、何より外資系証券会社が東京での活動がいまだ活発ではない

② 金融商品のイノベーション……日本の大手証券会社はロンドンやニューヨークで新商品を積極的に売り出しているが、日本ではリスクをとる文化がなく、東京では少ない。アベノミクスの年金基金の活用が注目される

③ 英語……香港・シンガポールに比べ圧倒的に英語環境が少ない

④ 税制……法人税は下げられるが、個人所得課税も英米と水準・仕組みが違う

⑤ 地震……地震をはじめとした自然災害、それに伴う福島のような原発事故のリスク・マネジメントに不安がある

⑥ 資本やリスクへの嫌悪……日本では敵対的M&Aは制度上可能でも成功例は少なく、「社会的」「文化的」に資本やリスクが理解されない

⑦　金融サービスの多様性……金融に関するプロフェッショナル・サービスの種類が少ない

があげられ、英国には、官民あげて国際金融センターをつくりあげようというDNAのような意思があるが、日本にはその意思が感じられないと指摘されました。

日本は世界やアジアの金融センターとなるべきか

　そもそも日本・東京がロンドンのような国際金融センターとなるべきなのか、との本源的な問いも示されました。ロンドンのような国際金融センターになるとすれば2020年東京オリンピック等に向けチャンスもあるが、仮に成功してポンドのように円が高くなれば、日本経済全体にとってリスクとなる面もあります。また、シンガポールや香港と比べ、英語や地理的な時差など、努力しても変えられない視点も国際金融センターとなるための重要な要素となっており、東京の背後にある巨大な日本市場の存在から、シンガポールや香港のように簡単・柔軟に制度等の変更ができず、高齢化し財政制約があるなかで税制優遇にも限界があるなど、東京がロンドン型を目指しても達成する見込みのない要素もあります。

　さらに、そもそもロンドン型の金融のための金融センターは、リーマン・ショックに続く世界金融危機の後に、G7、G20、IMF（国際通貨基金）、FSB（金融安定理事会）、バーゼル委員会、OECD（経済協力開発機構）などで、規制・税制・コーポレート・ガバナンスなど行動規範に至るまで、世界的に見

直されつつあるビジネス・モデルであり、日本がそこから学ぶことは多いものの、範とすべきではないかもしれません。

日本が目指す金融センターの姿

　まず金融のセンターですから、ヒト・モノ・カネのうちのカネである資金が集まり、消費・投資または貯蓄に活用される必要があります。そして、経済活動の血液として、経済が活性化・成長し、他国との交流・取引・国際的な貿易が拡大するのを金融経済として支え、世界やアジアでヒト・モノを含めた実体経済と活動をともにしていく必要があります。また金融には、主に市場を通じて資金調達して市場等で投資等する直接金融と、主に銀行など金融機関が預金等の貯蓄から資金調達したものを投資家等が借り入れ、消費・投資等する間接金融があります。米英などアングロサクソン流経営・経済では直接金融が主体で、大陸ヨーロッパ、日本そしてアジアでは間接金融が主体だといわれています。これでは世界の金融センターには不十分なのでしょうか。

　国際協力銀行・渡辺博史総裁（元財務官）は、基調講演で、金融センターを何によって計るかについて、①取引の規模、②取引の多さ、利便性、③取引の性質、つまり何の取引の中核になっているのかとの要素を示されました。そして、世界が24時間市場となっている今日、ロンドン、ニューヨーク、東京と、時間の進行とともに、①取引の規模でみて大きな市場が順に開いてきますが、ロンドンからみると、ニューヨークが閉まって

からロンドンが開くまでには相当の時間があるなか、②英語や英米法を使えるなど利便性の観点から、ここを埋める取引の多くが、シンガポール、香港で行われていて、これらが東京の競争相手だと指摘されました。また、③何の取引の中核になっているか、取引の性質から、ニューヨークとロンドン等を比較し、ニューヨークは、世界最大の実体経済を背景に、少なくとも当初は、米国の貯蓄不足を埋めるため、米国内への資金を吸収する機能を担っていましたが、ロンドン、シンガポール、香港は、実体経済はこれに比較して小さく、世界全体に向けて資金を循環させるハブの機能を担っていると分類されました。そして、中国国内で香港と役割分担しながら、いずれ世界やアジアの金融センターとなるとの意見も多い上海は、国内支出も貯蓄も大きいので、支出の大きい米国型か貯蓄が大きい日本型か、政策のバランス次第でいずれにもなりうると分析し、東京をはじめ日本の市場は、貯蓄が大きく資金輸出機能を果たしているのに対し、いまは規制が多い中国の市場の規制緩和が進めば、マネー市場主体の香港と、株式市場主体の上海は、一体化して1つの金融市場となりうると指摘されました。

　では、日本は世界やアジアでどういう金融センターとなるべきでしょうか。ロンドン型の金融のための金融センターは、リーマン・ショック後、世界的に見直されつつあるモデルであるとすると、日本・東京が多くを学びつつも、これを範とするのではなく、国債中心の大規模な債券市場の存在や間接金融中心の産業構造など日本や東京の金融センターの特徴をふまえ、こ

れを生かした金融センターを目指すべきではないでしょうか。日本は円の市場であること、巨額の日本国債市場があること、間接金融中心で日本の投資家はリスクをとろうとしない文化があることなどをふまえ、変化するアジア太平洋のなかで、情報産業としての情報発信力を高めつつ、インテリジェントでペイシェントな投資家を市場とともに育てていくべきではないでしょうか。

日本経済の国際競争力と将来へ向けた情報・金融センターの役割

　日本は、巨額の個人金融資産と投資できる現金があり、また健全な金融システムがあり、外貨準備もあるなど強固な側面をもっています。一方、世界の資本移動や為替変動、TPPやEPAなどの貿易交渉、これまで日本の輸出を支えてきた電機などの技術優位性や国際競争力の低下に伴い、外的ショックに脆弱な構造となっています。アベノミクスが第一の矢の金融政策変更による海外投資家の日本買いから始まったところ、第二の矢は財政政策による需要刺激策で国債は積み上がっています。このため、円、株、債券それぞれの市場で、海外投資家たちが日本売りのタイミングを見計らっており、日銀の出口戦略開始、経常収支赤字転落、消費税引上げ延期、外交安保問題からTPP交渉の動向までその引き金は多く、マクロ経済としてはリスクの高い状態にあるとの見方があります。その一方で、高齢化が進むなか、１％でも成長率を上げる必要があり、そのためにはミクロ経済としてはリスクをとって高いリターンを求

める企業や家計の行動を促す改革が必要との見方、高齢化に対し国内市場の構造改革だけで2％の成長を達成するのは無理で、TPPなど海外からの投資を呼び込むことで成長率を高めることが不可欠との見方もあります。こうした状況のなか、日本・東京が情報・金融センターとなることは、日本の経済社会の国際競争力を高め、日本復活の鍵となることは間違いありません。

　国際協力銀行の渡辺博史総裁は、基調講演の最後に、日本・東京に資金を呼ぶのによい要素として、第一に、アベノミクスで国内の各産業に大きな需要と資金需要が生まれ、国外でも成長を続けるアジアに位置し、そのなかであと20年は東京がアジアの貯蓄を吸収してアジアの中心市場であり続けると考えられること、第二に、今後5～10年程度は円相場がさらに安定化し、投資家が円相場の変動リスクを心配しなくてよく、オペレーションコストが下がっていること、第三に、日本で耐震のビルが新設され、東京オリンピックに向けても、ビジネス・スペースの供給が増えており、かつて、世界一物価が高いといわれた東京はいまや第12位となり、競争相手であるニューヨーク・香港・シンガポールより低くなっていることをあげられました。日本・東京が、自らをアジア太平洋地域を通じた金融取引・運営等のセンターとして位置づけることで、それが実現するきっかけとなると思います。2020年東京オリンピック・パラリンピックは、こうしたセンターを目指す絶好のスタートとなりえます。

「東京金融シティ構想」と
国際情報・金融センターの役割への期待

　日本の3つのシンクタンク（日本経済研究センター、大和総研、みずほ総合研究所）が2014年5月16日、「東京金融シティ構想の実現に向けて―金融資本市場の活性化を成長戦略の柱に―」と題する提言を発表しました。個人金融資産の活性化やアジアとの連携強化のほか、東京都の国際戦略総合特区の活用などによる金融資本市場の活性化を成長戦略の柱に位置づけようとするものです。この提言は、本章の研究討論会Ⅰ「日本は世界やアジアの金融センターでいられるか」での議論と問題意識を同じくするものといえるでしょう。

　本章§3.5.4で東京都の安達課長からプレゼンテーションがあったように東京都の国際戦略総合特区「アジアヘッドクォーター特区」とともに、ワンストップでビジネス支援および生活支援を行う総合的な支援窓口「ビジネスコンシェルジュ東京」を活用し、特区エリア内へ進出する外国企業に対するビジネス交流支援や専門的なコンサルティングサービスの提供による日本での事業展開サポートから、英語による医療・行政サービスの充実やインターナショナルスクールに関する規制緩和など都市政策に至るまで、東京五輪を見据えた官民あげたビジネス拠点としての魅力づくりが重要です。

　そのうえで、個人金融資産活用、市場インフラ整備、資産運用・金融教育促進など、金融資本市場活性策を行い、金融は情報産業でもあることから、提言にもあるように、第9章§9.3

のCIIE.asiaが目指すように、「ロンドンのチャタムハウスが果たしているような、情報の発信・交換・共有の場を設け、『人』や『知』の集積を図っていくこと」が求められます。

　また、ロンドンのシティのロード・メイヤーが「海外向けプロモーション活動」を行える情報発信力をもつ背後に、金融サービス貿易・投資会議（FSTIB）に、金融戦略に関する産官の政策・投資決定者が一堂に会して「オールUK」で金融の世界戦略の立案・実施する体制がその情報求芯力を支えている事実も、提言されている「日本版メイヤー」を検討する際には重要です。

　チャタムハウスは、2015年1月、東京において、第9章で述べるCIIE.asiaと共催で、「日本復活を本物に：国際競争力～変化するアジアでの日本の（産官学の）新たな役割～」と題しパネルディスカッションを開催します。そのSession 1で、こうした国・東京都を中心とした「東京金融シティ構想」に向けた産官の取組みの進展と課題、変化するアジア太平洋における東京・日本の国際金融・情報センターとしての役割への期待と本章の議論で出されたチャレンジとチャンスについて実践研究の議論を行います。

　Session 2では、産業革命を機に大英帝国を築き世界、日本の制度となった金融をはじめとした「英国モデル」について慶應大学のセミナーの成果とアジア太平洋の共通インフラとしての役割について議論し、最後のSession 3で、アベノミクス構造改革の進展によって日本が投資・情報センターとして、いか

に新たな役割を担うか、総括的な議論を行い、日欧の対話、日英知の国際交流を行い、アジア太平洋・日本での情報発信の場、情報収集の場をつくり、アジア・日本の情報発信力と求芯力強化の一助となるよう、実践研究を続けていきます。

第4章

研究討論会Ⅱ
日本は高齢化のチャレンジをチャンスにできるか
――日本・ヨーロッパの医療・医薬品等市場と高齢化社会の克服・活用

§4.1 世界の課題として高齢化を議論する

安倍首相の決意と世界へのメッセージ

　2013年6月、チャタムハウスが共催してロンドンのシティのギルドホールで行われた経済政策に関する講演のなかで、安倍首相は、「ロンドンやニューヨークといった都市に匹敵する、国際的なビジネス環境をつくる。世界中から、技術、人材、資金を集める都市をつくりたい」と、「トップクラスの外国人医師が日本で働けるよう、制度を見直す」などを言及しながら「世界から、ヒト、モノ、カネを呼び込んで、それを成長の糧としてまた大きくなる。そんな日本をつくる闘いが、私の取り組む闘いです」と決意を述べました。そして日本が直面している高齢化社会に関し、「高齢化がもたらすイノベーションがあるでしょう。高齢化に関して世界の先頭をいく日本は、成熟した社会にふさわしいサービスや、産業、技術を生み出すのに、だれより恵まれた位置にいるのです」「健康や、高齢者介護の市場規模を、いまの約420億ドルから、2020年までに1,060億ドル以上に拡大させます。医療品、医療機器、再生医療といった医療関連ビジネスの市場規模を、同じ期間に1,270億ドルから1,700億ドルまで増やします」と具体的な目標をあげたうえで「すでに、欧州の革新的な企業がたくさんこの市場に参入していることは、皆様もご承知のとおりです。これらもみな、私の『三本目の矢』をかたちづくる大切な要素であることをご理

解ください」と説明されました。

　最後に安倍首相は「前回私は、潰瘍性大腸炎という持病のせいで、総理を辞めざるをえませんでした」と切り出され、画期的な新薬の話、ドラッグ・ラグの話をされ、「その新薬が日本で出回るようになるのに、もっと時間がかかっていたら、もしかすると、いまの私はありませんでした。だからこそ、ドラッグ・ラグを解消すること、難病患者の人生を取り戻し、豊かにしていくことが私の役割ですし、天命だと思っています」と決意を述べられました。

　このスピーチに、世界の情報・金融センターであるロンドンのシティに集まった、英国人、欧州人、日本関係者は驚き、この日欧の医療・医薬品等市場と高齢化社会の研究討論会（ラウンドテーブル）Ⅱでも、多くの参加者が首相の講演に言及し、「いままでにない決意と発信力を感じ印象的だった。だから今回参加した」といったコメントも少なくありませんでした。チャタムハウス所長のロビン・ニブレット氏もその１人で、「日本復活のメッセージに感動した。高齢化、財政、医療についても首相自身の体験に基づき説得力があった」と私に語りました。

残された日米欧三極の戦略的規制・成長産業と日本の挑戦・戦略

　日本は人口構造で重大な変化に直面しています。高齢者人口の急速な増加と低い出生率による世界に先駆けた高齢化に直面し、日本は国内の社会福祉・医療制度全般を見直し、長期的な持続可能性の確保に迫られています。他方、医薬・医療品等の

産業は第3章で述べた金融と並んで、その経済社会への影響力の大きさから規制産業ともいわれています。新しい商品とその規制が、日米欧を三極とした先進国を中心にルールづくりが行われている先進国にとって残された戦略的産業ともいえます。そして医薬・医療品等セクターは資本主義・産業革命を世界に先駆けて始め、大英帝国を築き、米国や新興国の時代となった現在も依然として世界のルールづくりに大きな影響力をもつ英国にとっても主要産業です。ここには英国のしたたかな世界戦略をみることができ、これも一連の事業・研究で得られる重要な成果の1つです。

　こうしたなか、日本の成長戦略では、健康・医療セクターで、新たな高度産業の創設を目指しています。日本政府は出生率増加にも努めつつ、年金・医療・介護制度を持続可能なものに改革しようとしています。さらに日本は、高齢化関連疾病をターゲットに、医療・医薬品等セクターの技術を高度化しようとしています。そして、これらの改革は、伝統的に保護・規制されてきた、これらのセクターに大きな影響を与える日EUFTA交渉と並行して行われています。

　この研究討論会（ラウンドテーブル）Ⅱでは、これらの相互に絡み合う問題点と関連政策を特定し、社会保障関連制度の持続可能性を高め、これらのセクターの国際競争力を強化するために、日欧の医療・医薬品等市場と高齢化社会と題し、世界に先駆けた超高齢化社会を財政、医療等がいかに克服、活用できるかについて議論を進めます。

図表4－1　研究討論会Ⅱのアジェンダ

II Roundtable:
'MEDICAL AND PHARMACEUTICAL MARKETS AND AGEING SOCIETIES IN JAPAN AND EUROPE'

Thursday 13 *February*,
Chatham House, 10 St James's Square, London SW1Y 4LE

Agenda

Opening remark
Paola Subacchi, Research Director, International Economics, Chatham House

Keynote speech
Tateaki Ishida, President and Chief Executive Officer, Tokai Tokyo Financial Holdings Inc.

Session 1　The impact of Japan's demographic and fiscal challenge on its healthcare, pharmaceutical and medical equipment market, new policy on age-related diseases and industrial strategy: A comparison with Europe, the USA and Asia

Chair: **Alan Wheatley**, Global Economics Correspondent, Reuters News

Discussants:
Toshio Oya, Counselor, Minister's Secretariat, Ministry of Finance, Japan
Giles Denham, Head of Medicines Pharmacy and Industry

Group, UK Department of Health
Yutaka Horie, Deputy Assistant Minister for International Affairs, Minister's Secretariat, Ministry of Health, Labour and Welfare, Japan
Shin-ichi Ohnuma, Professor of Experimental Ophthalmology at University College London
Ken Suzuki, Professor, Translational Cardiovascular Therapeutics, Queen Marry University of London
Kohei Onozaki, Executive Officer, Corporate Affairs, AstraZeneca

Session 2 **Turning Japan into the most attractive and open market for the healthcare, pharmaceutical, medical equipment and ICT policy and industry - A comparison with those of the UK and Europe: Expanding opportunities and challenges through private initiatives and EU-Japan collaboration including FTAs**

Chair: **Sir Graham Fry**, KCMG, British Ambassador to Japan (2004-2008)

Discussants:
Toshio Miyata, Executive Director of the Health and Global Policy Institute
David Jefferys, Senior Vice President for Global Regulatory, Healthcare Policy and Government Relations from Eisai (Europe) Ltd.

William Charnetski, Vice-President of Corporate Affairs International at AstraZeneca
Adrian Conduit, Director, Hitachi Consulting
Jun Arima, Director General, JETRO London

> **Hosuk Lee-Makiyama**, Director, European Centre for International Political Economy
>
> Closing remarks
> **Sir Stephen Gomersall**, KCMG, British Ambassador to Japan (1999-2004); Director, and Group Chairman, Europe, Hitachi, ltd.

§4.2 開会の辞

チャタムハウス国際経済部長　パオラ・サバッキ

　日本とヨーロッパの政府が直面している高齢化と財政、経済、金融の関係についての基調講演の後、日英ヨーロッパの専門家や政府関係者の方々によるプレゼンテーションを聞き、世界に先駆けた超高齢化社会を財政、医療等がいかに克服、活用できるかについて議論を進めます。

(Dr Paola Sabacchi, Research Director, International Economics, Chatham House)

§4.3 基調講演

東海東京フィナンシャル・ホールディングス
代表取締役社長　最高経営責任者　石田建昭

高齢化がもたらす諸課題

　日本の高齢化の状況と高齢化に伴う社会的、あるいは金融・財政面での課題について、お話します。こうした問題を解決で

きるかどうかは、国全体の将来を決める非常に重要な事柄であり、以下、順に説明いたします。

　第一に、日本における、高齢化の現状とその諸課題についてです。

　日本の人口は１億2,730万人ですが、その約25％が65歳以上の高齢者です。問題は高齢者の数自体だけにあるわけでなく、人口がいかに急激に減少し、少子高齢化が進むかという点にあります。2060年には日本の人口は8,600万人にまで減少し、そしてその時には人口の約40％が高齢者になると予想されています。高齢化は日本に限った問題ではありませんが、そのなかでも、わが国の高齢化率は最も高く、また世界に例をみない速度で高齢化が進行しています。このため、日本においては、医療、年金、介護という社会保障制度の問題に加えて、労働人口の減少、高齢者の就労・雇用の問題、シニア人材活用、あるいは住まい・交通システムの問題が発生します。この問題に対し、コミュニティに根ざした包括的な対応、すなわち地域包括ケアシステムの構築のような、さまざまな課題への取組みが必要とされているのです。

　第二に、日本の市場が向き合うべき財政、金融に関する重要な課題についてです。

　高齢化は年金・医療制度に問題をもたらします。社会保障給付費は、年々大きく増加しています。2013年度には予算ベースで、110兆円を超えています。しかし、徴収される社会保険料は1990年代後半よりほぼ横ばいで、社会保障費の赤字は年々拡

図表 4−2 高齢化日本の現状

Aging Japan — Current Status
Percentage of population aged 65+

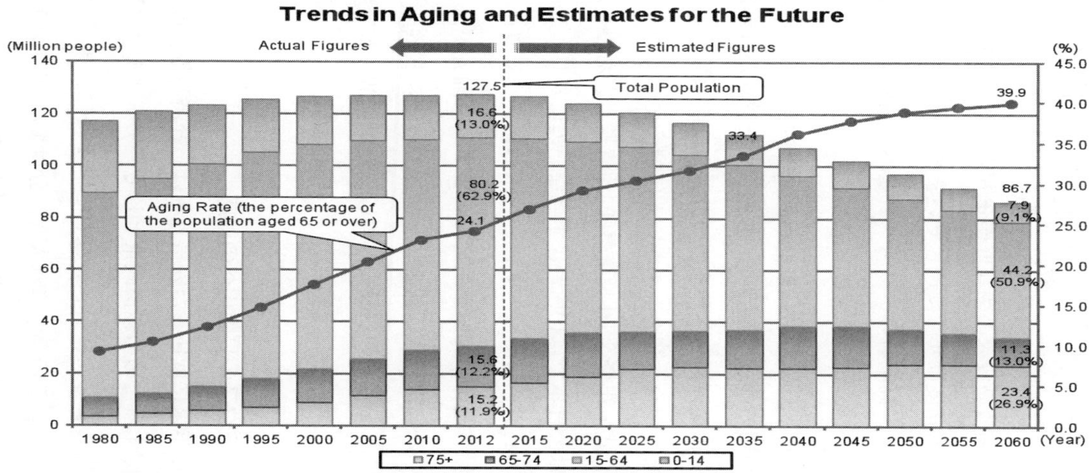

Trends in Aging and Estimates for the Future

Source: Up to 2010 Ministry of Internal Affairs and Communications, *Population Census*, for 2012 Ministry of Internal Affairs and Communications, *Population Estimates (As of October 1, 2012)* after 2015 The National Institute of Population and Social Security Research, *Population Projections for Japan (January 2012)* based on the estimated figure with Medium-Fertility and Medium-Mortality Assumption.

第4章 研究討論会Ⅱ 日本は高齢化のチャレンジをチャンスにできるか 81

大しています。社会保障費が日本の国家予算の歳出に占める割合はすでに30％を超えています。結果として、財政赤字がふくらみ、国債発行への依存度が年々高まり、2013年度予算における国債依存度は46％に達しています。

　第三に、高齢者の、リスク資産への投資からの撤退についてです。

　わが国では、豊富な家計資金や公的年金等が成長マネーに向かう循環の確立のために、さまざまな議論が行われています。しかし、従前から、わが国の貯蓄率は高水準にあり、米国と比べると「現金・預金」の割合が圧倒的に多くなっています。逆に「株式・出資金」「投資信託」「債券」をあわせた有価証券の割合は、日本では10％台にすぎないのに対し、米国では半分以上を占めています。さらに、日本の個人金融資産のうち60歳以上の保有割合は60％を超えています。高齢者が保有する金融資産をいかに次世代に継承し、そしていかにリスク資産に振り向け、これを経済の成長のために、いかに活かしていくかが大きな課題です。

アベノミクスの高齢化への対応

　2012年末に就任した安倍首相は、経済不振、厳しい財政状態を打開するための経済政策として"アベノミクス"三本の矢を打ち出しました。特に、注目されるのは、第三の矢、「成長戦略」です。このなかには大きく分けて３つのプランが含まれています。「日本産業再興プラン」「戦略市場創造プラン」そして

「国際展開戦略」です。奇しくも、本日のテーマである「医療・医薬品等市場と高齢化社会」の問題に対しても、この第三の矢の成長戦略によって、対応策を打とうとしています。私ども金融機関に対しては、「戦略市場創造プラン」における、「健康寿命」の延伸に必要な医療ケアシステムの向上や改善のために、リスクマネーの金融システムへの供給を促進させる役割が期待されています。

(Mr Tateaki Ishida, President and CEO,
Tokai Tokyo Financial Holdings, Inc.)

§4.4　Session 1：高齢化への挑戦

日本の人口高齢化と財政の問題と医療・医薬品・医療機器市場、高齢化関連疾病と産業戦略：欧米アジアとの比較

§4.4.1　高齢化のなかでも持続可能な社会保障に向け財政収支ギャップへの挑戦

財務省　参事官　大矢俊雄

石田社長のスピーチにあったように日本は他の先進国に比べ急速に高齢化しており、年金・医療・介護など社会保障関連経費について制度改革をしているものの、税・社会保険料等の収入でまかないきれていません。そのギャップに対し、"Mind the Gap"と警鐘は鳴らしてはいるものの、政府債務が持続可

図表 4 − 3　拡大する社会保障関連財政収支ギャップ

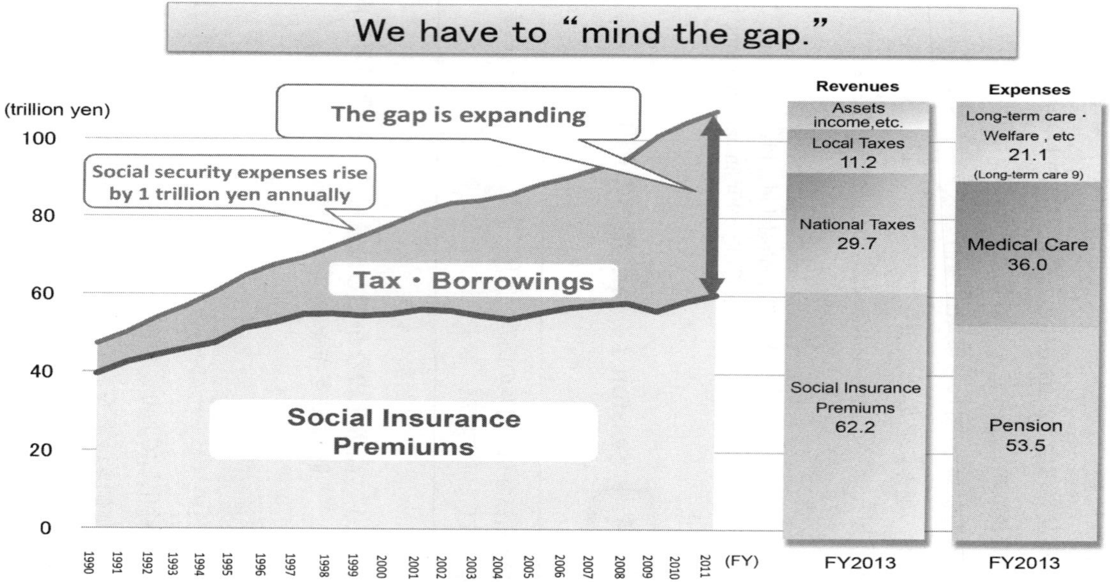

We have to "mind the gap."

Expenses FY2013
- Long-term care・Welfare, etc. 21.1 (Long-term care 9)
- Medical Care 36.0
- Pension 53.5

Revenues FY2013
- Assets income, etc. Local Taxes 11.2
- National Taxes 29.7
- Social Insurance Premiums 62.2

The gap is expanding

Social security expenses rise by 1 trillion yen annually

Tax・Borrowings

Social Insurance Premiums

(trillion yen) 100 / 80 / 60 / 40 / 20 / 0

(FY) 1990–2011

(Source) ~FY2011, National Institute of Population and Social Security Research "The Cost of Social Security Benefits"
The Figure of FY2013 is Initial Budget base, estimated by Ministry of Health, Labor and Welfare

能か懸念されている状態です。収入以上に支出していること、社会保障制度や財政を持続可能とするため、国民にさらなる負担をお願いしてこられなかったことが原因です。その理由としては、たとえば、負担増がデフレからの脱却をさらに困難にするといった懸念もあったと思われます。最大の課題は、社会保障制度を持続可能なものとするため何をすべきかです。

第一に、消費税は2014年4月1日に5％から8％に引き上げられ、税収はすべて社会保障関係経費に充てられます。

第二に、医療費抑制が、医薬品の市価に影響を与え、医療関係市場の競争力を高めるために重要です。

また同時に、これらで経済が停滞せぬよう、アベノミクスの第三の矢では、規制緩和を行って、よりよい医療サービスを国民に提供し、日本版NIH（National Institute of Health）を創設して研究・開発から製造段階までの一貫した戦略的対応を行うなどし、またGPIF（Government Pension Investment Fund、年金積立金管理運用独立行政法人）に積極的な投資を促すなどの施策も行っています。

（Mr Toshio Oya, Counselor, Minister's Secretariat, Ministry of Finance of Japan）

§4.4.2　日英で似た国民保険制度と学ぶべき点

英保健省薬事産業　課長　グリス・デンハム

英国の医療・医薬品市場について、日本と同じように英国には非常に効率的な国民保険制度NHS（National Health System）

図表 4 − 4 　健康悪化のプロセス

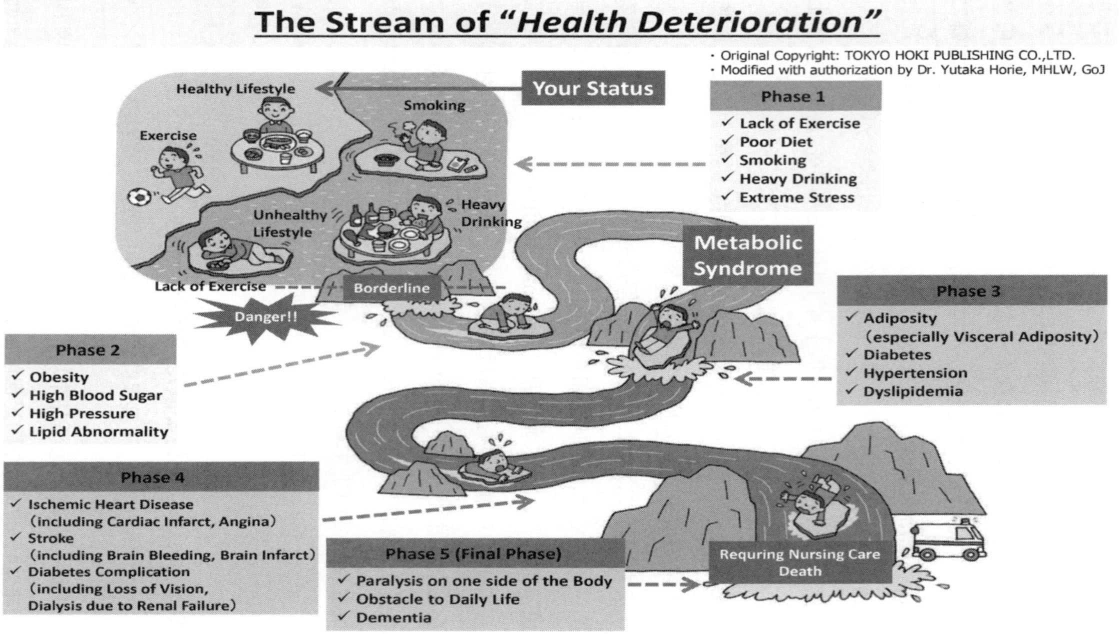

The Stream of "Health Deterioration"

· Original Copyright: TOKYO HOKI PUBLISHING CO.,LTD.
· Modified with authorization by Dr. Yutaka Horie, MHLW, GoJ

Your Status

Phase 1
- Lack of Exercise
- Poor Diet
- Smoking
- Heavy Drinking
- Extreme Stress

Healthy Lifestyle — Exercise
Unhealthy Lifestyle — Smoking, Heavy Drinking
Borderline
Danger!!
Lack of Exercise

Metabolic Syndrome

Phase 2
- Obesity
- High Blood Sugar
- High Pressure
- Lipid Abnormality

Phase 3
- Adiposity (especially Visceral Adiposity)
- Diabetes
- Hypertension
- Dyslipidemia

Phase 4
- Ischemic Heart Disease (including Cardiac Infarct, Angina)
- Stroke (including Brain Bleeding, Brain Infarct)
- Diabetes Complication (including Loss of Vision, Dialysis due to Renal Failure)

Phase 5 (Final Phase)
- Paralysis on one side of the Body
- Obstacle to Daily Life
- Dementia

Requiring Nursing Care
Death

86

があります。これまで幾度も制度改革をしてくるなかで、他国の状況も調べ、数々の改革を重ねてきました。日本は同じく高齢化している福祉国家で、日本の医療保険もNHSも互いに学び合うことが多く、たとえば、英国で日本に学んで医薬品市場で市価を自由化することによって、英国は随分競争力が上がりました。また、医療・医薬品産業との合意のもとに、価格を決めていくスキームを採用しています。ジェネリック薬や新技術・新分野薬の導入にも積極的です。

(Mr Giles Denham,
Head of Medicines Pharmacy and Industry Group,
UK Department of Health)

§4.4.3 アベノミクスの医療制度改革と健康医療戦略の鍵

厚生労働省国際課　課長　堀江裕

　医療制度を財政的に持続可能とするため、アベノミクスでは諸改革が行われます。一般的に、人の健康は経年とともに悪化していくものです。中年のほぼ半数や高齢者は、年に1度以上医者にかかっています。こうした傾向に対し医療費支出を減らす最良の方法は、健康的なダイエットをすることです。OECDの統計によると、日本の肥満率はロシアや英米と比べて低いといっても、過去30年間は劇的に増え続けています。同時に、日本政府は喫煙率を過去30年間に42％から20％に下げることに成功しました。

アベノミクスでの健康医療戦略は、次の３点を柱としています。
① 新たな医療技術・サービスを創出すべく日本版NIHを創設し、産業にも健康的な生活を促進させる施策を行う。
② 医療インフラ開発として、キャパシティ・ビルディングを行い、ICTの使用を促進する。
③ 医療市場を世界への拡大として、日本の医療技術・サービスの海外展開支援を行っている。

医療を取り巻く状況を各国と比較すると、日本は人口ピラミッドが急速に高齢化してきたため、医療費もこれに伴い急速に拡大しています。医療機器の普及率も他の先進国と比べて高く、医療技術の進歩により乳幼児および若年死亡率は低下し、死亡に至る90％の人が60歳以上となっており、高齢者医療の改革も非常に重要です。

（Dr Yutaka Horie, Deputy Assistant Minister for International Affairs, Ministry of Health, Labour and Welfare, Japan）

§4.4.4　日本の競争力の鍵は基礎研究と臨床治験の橋渡しへの産学の協力

ユニバーシティ　カレッジ　ロンドン（UCL）　教授　大沼信一

医療費の問題は先進国すべてで主要な問題となっています。医療水準を変えずにいかに医療費を下げるかというのが、最大の課題となっています。

日本のバイオ・メディカル市場のシェアは、世界の10分の１

図表 4－5　新薬承認プロセスの日 VS. 英米比較

Development of new medicines and medical equipment

Reasons

No researchers, no structures, no motivation, no budget

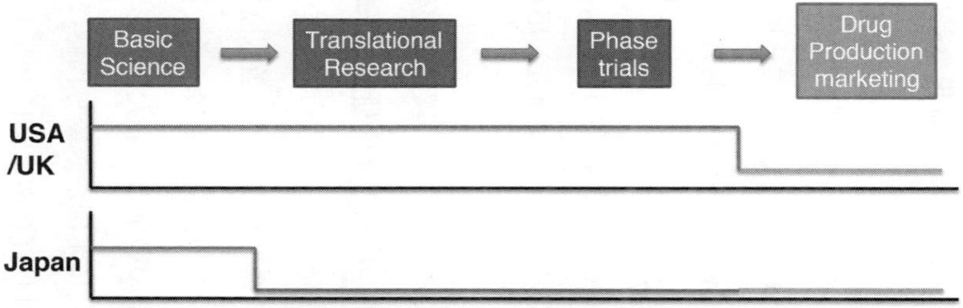

Basic Science → Translational Research → Phase trials → Drug Production marketing

USA/UK

Japan

- Publications: Japan-Cell, Nature, Science – no Lancet, NEJM
  - 2008-2011: 1st USA (2,105 papers), 2nd UK (685 papers), 25th Japan (55 papers)
- No evaluation system for translational researchers
- No experts and institutes for translational research (less scientists in medical school, no medical faculties outside medical school (see Engineering))
- Small amount of government budget for translational research and clinical trials
- No coordinators, no independent strategy maker
- Very weak bio venture companies: 334 (USA) vs 10 (Japan)

です。米国での医療制度の年間予算は490億ドルで、そのうち研究基金として290億ドルがNIHで使われ、160億ドルが研究資金として研究者に配分されています。これは日本の年間17億ドル、英国の29億ドルと比較して、格段の差があります。日本版NIHを創設したとしても、この規模の差は決して埋まりません。

もう1つ、日米の大きな違いは、日本では基礎研究と臨床治験を橋渡しするための新たな医療品や医療機器の開発を行う応用研究のための予算制度が、非常に限られていることです。これでは、日本で、産学が協力することがむずかしくなってしまいます。新たな医療品や医療機器の開発には、薬が承認されて市場に出るまでに3つの段階、基礎研究、応用研究、臨床治験が必要です。

米英では、大学内でこれら3つの段階が完結します。しかし日本では大学内では第一段階の基礎研究しかできず、これは新たな医薬品や機器の開発にとって致命的です。また、同時に応用研究を専門に行う研究者や研究室の数も欧米と比較して限られています。これは、石田社長がスピーチで指摘したように、医療品・医療機器産業の競争力にも大きく影響します。たとえば、2008〜2011年までに米国が医療専門誌に2,100もの研究論文掲載があったのに対し、日本は55にとどまっています。

（Dr Shin-ichi Ohnuma, Professor of Experimental Ophthalmology
at University College of London）

§4.4.5 税金と寄附が支える英医療制度とEU委員会の国際的な役割

ロンドン大学クィーン・メアリー　教授　鈴木憲

　再生医療の開発のためには、諸機関の間のコネクションを強化すること、とりわけ大学と病院の間の連携強化がいちばん重要で、かつ比較的容易だと思われます。開発過程における規制や資金集めと配分をする基金の存在も重要です。また、一般に、制度が官僚的になることを防ぐことが新しい医療の開発には必要です。英国における再生医療の研究には、さまざまな機関を通じて資金集めが可能です（図表4-6）。医薬品の承認は、European Medicine AgencyやMHRAが行っており、大沼先生の説明された研究開発の各段階で、保健省から税金を原資とする予算がくるだけでなく、英国、欧州さまざまなチャリティー団体・財団から資金が集まってきます。

　また、欧州委員会も大きな役割を果たしており、Horizon 2020プログラムとして、80億ユーロが配分されています。日英の医療制度は非常に類似点が多いため、日本は英国のとっている政策を参考にして、より国際的な資金スキームを開発すべきです。こうした改革は非常に基本的なもので、日本の先端医療を可能なものとするために不可欠なものです。

　なお、医薬品の開発段階における資金支援というと、現在の日本ではすぐiPS細胞技術に資金が集まりがちですが、専門的には、iPS細胞以外にも再生医療の確立のために有用なテクノ

図表 4 − 6　再生医療研究における資金調達
Funding for Regenerative Medicine

92

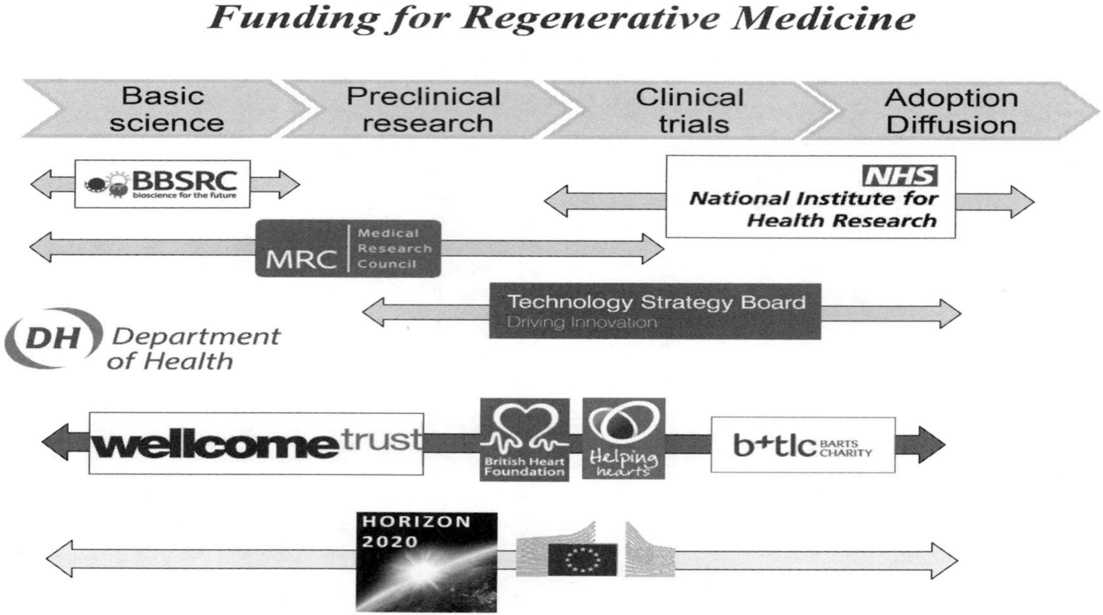

ロジーはいくつもあり、それらを包括的にサポートすることが必要であることを付言しておきます。

(Dr Ken Suzuki, Professor, Translational Cardiovascular Therapeutics, Queen Marry University of London)

§4.4.6 医療コスト抑制と医療開発投資・成長とのよりよいバランスを

アストラゼネカ　執行役員　小野崎耕平

日英欧の医療制度を国際比較という観点からみてみると、基本的に医療制度の根底には公平性を重視する価値観があります。日本では、GDPの約9.5%がこの医療分野に支出されており、他のOECD諸国と比較しても、よくコントロールが効いていると評価することができます。

日本では、医薬品産業は、自動車や電機産業と並んで、最も大きなタックス・ペイヤーの1つです。また日本の医療制度は予見可能性が高いため、安心して投資できます。ヨーロッパ諸国ではコスト面に焦点が当たりがちですが、同時に投資や税収という側面も重視すべきと思います。たとえば、グローバル医薬品企業の多くは対日投資を増加させ続けているのに対し、欧州では大幅にそれを減らしています。たとえばドイツでは政府が極端なコスト重視の政策をとったため、アストラゼネカのドイツ法人は人員を半分に削減せざるをえませんでした。こうしたことからいえることは、コストと投資・成長のよりよいバランスが非常に重要だということです。日本は薬価や診療報酬な

どのプライスコントロールは比較的きちんと行われているのですが、ボリュームつまり量のコントロールが不十分であるといえると思います。OECD諸国と比べても突出して高い受診回数や医薬品の処方量などは今後、政策的な検討が必要となるでしょう。

（Mr Kohei Onozaki,
Executive Officer for Corporate Affairs at AstraZeneca）

§4.4.7　ディスカッション

ウィートリー（議長）（Alan Wheatley、ロンドン在住経済執筆家）：医療産業は非常にダイナミックに変化するため、いくつかの国では世代間扶助の医療制度の崩壊を経験しています。また、税金を入れるからコスト面と投資・成長面の間のバランス・折衷がヨーロッパでは必要だと思います。他の参加者の意見を聞いてみたいと思います。

ハワード（Philippe Howard、GRジャパン共同設立者）：医療コストと医療サービスの質のバランスが重要です。日本では医療制度は公平性を基本につくられており、医者の報酬は同じとなっています。これは欧米の医療制度とは非常に違う点です。

　ある会社ではコスト削減を試み、医療サービスの質が下がる悪影響がありました。1970年代の高度成長の時代、日本国民は病院に長期間入院し続けることができましたが、今日、こうした政策を続けることは不可能です。

　日本の患者は、平均年30回も病院に行きます。これは

OECD諸国のなかで最も多く、英米やスウェーデンを大きく越えています。これには同じ医療サービスに対して巨額の医療費が支払われていることになります。第一に、迅速に診断し、先回りして動き、予防医療も施すなどすることが必要で、第二に、検査や薬のコストが膨大となっています。日本政府は、外資を導入し、こうした追加コストの存在を見直す必要があります。

会場参加者：大矢参事官が説明した日本の財政の信頼性と債務返済能力について。日本は貿易赤字を出していますが、輸入増によりさらに増加させ、20兆円となっています。この20兆円の半分は原油などエネルギー価格上昇による輸入価格上昇です。原発停止で火力発電に燃料輸入が必要となった事情もあります。あと半分は、中国からのスマートフォンやマレーシアからのテレビなどのモノの輸入によるものです。日本国債の持続可能性については、発行している国債の90％が日本人投資家によって引き受けられており、当面は大丈夫です。日本の成長率が上がることは、日本国債と社会保障制度の両方の持続可能性にとって重要な意味があります。

宮田（宮田俊男、日本医療政策機構エグゼクティブダイレクター）：
2013年の薬事法改正により、日本の医療機器に関し、以下の改正がされました。

① 医療機器のより柔軟な安全基準
② 機器の特徴にあわせた規制整備

③　再生医療製品の規制整備

　また、日英の医療研究開発の課題が似ているため、日英で協働することで技術革新とコスト削減の両方を達成することができます。

§4.4.8　ウィートリー議長による中間総括

　介護ロボットは、技術への投資機会と産業の技術革新という2つの恩恵をもたらします。介護ロボットによる解決は、日本社会の高齢化に対応するだけでなく、他国並みの労働市場開放を渋る日本の現状にも対応しています。政府は、外国人に国境を開放したいが、日本経済に利益を与える人だけに限定したいと考えています。

　また、この医療セクターでも規制緩和は主要な課題の1つです。非処方薬のインターネット販売の自由化は2013年に行われましたが、これはアベノミクスが成功した例の先駆けです。強力な規制緩和が日本の医療セクターにとって重要だと思います。

§4.5　Session 2：高齢化日本の世界戦略

医療・医薬品・医療機器、そしてICT産業にとって日本を最も魅力ある市場とできるか：英欧と比較し、民間の経済活動やFTAを含む日EU協働による機会と課題を考える

§4.5.1　発展の鍵は資金配分システム・官僚的手続の改革と諸機関の協働

日本医療政策機構（HGPI）　エグゼクティブダイレクター
宮田俊男

　私は日本医療政策機構HGPI（Health and Global Policy Institute）（次頁囲み参照）の医療政策を担当し、安倍内閣で創設された健康・医療戦略室で内閣官房補佐官、神奈川県知事顧問を務めています。

　いまのアベノミクスの第三の矢で、医療・医薬品市場の発展のための主な目標は、資金配分システム改革と官僚的手続の縮小です。

　諸機関の間のコミュニケーションの強化は、医療・医薬品市場がより一体的に発展するため不可欠です。医薬品の承認について、米欧、アジア諸国は同時承認に向けて協働すべきです。

（Mr Toshio Miyata,
Executive Director of the Health and Global Policy Institute）

（注）　日本医療政策機構とは……黒川清代表理事あいさつ（http://www.hgpi.org）抜粋

　日本医療政策機構は、今年で設立10年を迎えました。設立以来、財政状況の悪化、政権交代など政治状況の変化、政策立案への市民参画の広がりなど、医療政策をめぐる状況は大きく変化しました。先進国では、「高齢社会」「慢性疾患の増加」「格差の拡大」「財政状況の悪化」などを背景とし、ひとりひとりが健康に暮らす持続可能な社会の実現に向けて、将来を見据えた新たな社会制度設計が求められています。また、新興国においても疾病構造の変化により、従来の感染症対策に加えて慢性疾患対策への注力が求められ、このような国境を越えた共通の課題に対し、国内外の幅広いステーク・ホルダーを結集した議論と、分野横断的な連携を視野に入れたグローバルな活動展開が、ますます重要となっています。

　このように医療政策をとりまく環境が従来の医療の枠組みから発展・拡大している状況を鑑み、日本医療政策機構は、これまでの取組みを更に推進し、よりグローバル社会の現状に則したインパクトのある活動を展開すべく、平成23年2月1日より、機構の英文名称を"Health and Global Policy Institute"とし、ミッション等も変更いたしました。

　地球規模の健康・医療課題の解決に向け、国内外の多様なステーク・ホルダーがオープンに議論し、責任ある決定をすることが求められています。日本医療政策機構では、健康・医療政策の選択肢を提示し、持続可能でより豊かな社会の実現を目指し、皆様と一緒に活動して参る所存です。

§4.5.2 日米欧三極の規制当局の協働とアジア太平洋での規制枠組設定

エイザイ（欧州）　副社長　ディビッド・ジェフリー

日本の厚生労働省は、長年の間International Conference on Harmonisation of Technical Requirements for Registration of Pharmaceuticals for Human Useで重要な役割を果たしてきました。規制の枠組みも、Pharmaceuticals and Medical Devices Services（PMDA）の規制から米国Food and Drug Administration（FDA）と協働するようになっています。さらに、欧州のEuropean Medicines Agency（EMA）も加わって、三極での調整が行われています。この対話の仕組みは非常にうまくいっています。

日本は東南アジアでも主要な役割を果たす能力があります。すでにAPECで大きな役割を果たしている日本は、アジアの隣人と経済的・政治的関係を強化するだけでなく、TPPなどで確立する貿易協議のなかで、規制枠組設定でも影響力を広げていけます。

（Mr David Jefferys, Senior Vice President for Global Regulatory, Healthcare Policy and Government Relations from Eisai（Europe）Ltd.）

§4.5.3　日本の医療制度の強み

　　　アストラゼネカ　副社長　ウィリアム・チャレンスキ

　日本は厳しい人口高齢化問題に直面しているとはいっても、医療制度では、ロシアなど他国で相当厳しい状況に陥っているのに比べ、明るい面が多くあります。ロシアの平均寿命は、バングラデシュと同水準です。日本人は、戦後米国の影響からか、ともするとすべて反省し、一から変革する議論が散見されますが、日本の制度の強みを競争力につなげることが重要と考えます。

　また、研究開発投資は速さ、質、コストを考慮する必要があり、そうすることで、英国や日本に医療研究に投資する意図がわかります。金融市場の安定、租税制度の構造、地域市場環境などは、英日双方で投資を呼び込めます。

（Mr William Charnetski, Vice-President of Corporate Affairs International at AstraZeneca）

§4.5.4　医療関連産業とICTの活用──マンチェスター市での試み

　　日立コンサルティング　所長　エィドリアン・コンデゥィット

　医療関連産業とICT産業の間のチャンスとチャレンジについて述べます。

　両産業の相互連携強化に加え、新たな医療・ICT技術によって医療環境は格段に改善してきていますが、以下のチャレンジ

が残っています。
① 新たな技術はコストを上げこそすれ、下げることはありません。したがって、企業は、新技術導入に慎重である必要があります。
② 特にヨーロッパでは現行の医療モデルは持続不可能で、抜本的な改革が不可欠です。

(Mr Adrian Conduit, Director of Hitachi Consulting)

§4.5.5 医療・医薬品市場拡大のための日欧保護主義との闘い

日本貿易振興機構（JETRO）ロンドン事務所長　有馬純

2014年現在交渉中の日EU自由貿易協定（FTA）／経済連携協定（EPA）は、医療・医薬品市場と高齢化とも強く関連しています。

日本の医薬品・医療機器市場は巨大です。日本は世界第二の医薬品市場と世界第三の医療機器市場をもっています。また、急速な高齢化によって、これらの市場は確実に拡大します。成長戦略でも、医療品・医療機器・再生医療市場は、12兆円から2020年に20兆円に拡大するとされています。

多くの外国の医薬品・医療機器企業が巨大な日本市場から裨益しています。国内医薬品市場の4分の1、国内医療機器市場の2分の1が輸入品で占められています。医療市場拡大は明らかに外国企業にも利益があり、経済の相互関係強化が重要になってきます。

日欧は人口の高齢化という共通の課題を抱えています。日本の高齢化が先行していますが、いずれ欧州諸国も通る道です。高齢化のなか、成熟経済が成長するにはどうすればよいか。経済の相互関係強化によって、外から経済のダイナミズムを呼び込むことが重要です。

　日EUのFTA／EPAについてこれまでに4回の交渉が行われました。欧州は日本のNTM（非関税障壁）に強い関心を有していますが、日本側の取組みは着々と進んでいます。医薬品・医療機器の分野では堀江課長の説明にあったように、薬事法改正等、多くの施策が実行されています。2013年6月のギルドホールでの安倍首相スピーチでは、首相は自らの経験をふまえ、ドラック・ラグの解消を含め、自分自身がドリルの刃になって岩盤規制を突き通すとおっしゃっています。2014年の6月に公表の成長戦略第2弾でも医療分野が一つの柱です。

　日EUFTA／EPA交渉は、この春に欧州委員会による交渉レビューが行われ、一つの山場を迎えます。日本は医療、自動車、食品添加物等、NTMに誠実に取り組んでいますが、欧州諸国のなかには保護主義の圧力によって交渉中断を主張するかもしれません。そうなれば欧州の経済、雇用に大きな貢献をしてきた日本企業は深く失望し、欧州への関心をシフトさせる可能性もあります。日本の巨大な医療市場におけるビジネス機会を逸するべきではありません。また、日EUFTA／EPAはTTPやTTIPとともに、日米欧の自由貿易の三角形を形成するものです。これは停滞しているWTO交渉への刺激にもな

り、新興国の台頭に対応するうえでも有益です。交渉開始前の2012年11月、欧州の医薬品、医療機器の産業団体は12の他の産業団体とともに交渉早期開始を求めるレターを発出しました。交渉が重要な局面を迎えているなか、交渉継続に向けて同様の支援をいただきたいと思います。

　保護主義は国内の一握りの業界を満足させるかもしれませんが、経済の活力を確実に損ないます。日欧は、国内外の保護主義という死に至る病と闘わなければなりません。

（Mr Jun Arima, Director General, JETRO London）

§4.5.6　日米欧トライアングル合意へ

ECIPE研究所長　ホスック・リー＝牧山

　医薬品・医療機器は、TPP、TPA／EPAとTTIP（Transatlantic Trade and Investment Partnership、環大西洋貿易パートナーシップ）のトライアングル合意にとって重要な分野です。欧州は一般的に日本の輸入が少ないといいますが、これは日本の最終消費に対する輸入は6％程度で、米国の7％、カナダの8％と比べても低いことによります。EUがいくら世界最大の輸出拠点だとしても、日本市場は米国に占められています。米国企業は、EU企業よりも30％ほど競争力が高く、これが欧州企業が日本に少ない理由です。過去7年間の日本で登録された医薬品・医療機器の60％が、米国企業によるものです。

　日EUの自由な貿易はEU側の新たな規制の障壁によって阻害されています。たとえば、患者と技術データは新たな規制当

局によって厳しく制限され、EUでもこれが強いられつつあります。したがって、国境をまたいでデータをやりとりする医療機器は、こうした規制により排除されてしまいます。

　EUの医療機関は、EU加盟国間で効率性に特に違いがない範囲で各国ごとに成り立っています。こうした問題点は、EUの輸出振興という観点よりは、EUが日本でもっと大きな役割を果たすという観点から検討されるべきです。たとえTPPが合意に至らなくとも、これらの市場ではさらなる相互関係強化が進みます。EUは日本市場から離れているという不利な点がありますが、EUはもっと日本との関係強化に目を配るべきです。日本は他のアジア諸国、特に中国における改革への登竜門でもあります。日米欧は類似した規制基準をもっています。日本は関税障壁には関心がありません。なぜなら日本の政策決定者は、他国に指摘された問題を受動的に議論しますが、自ら問題としたり議論したりすることはないからです。

（Mr Hosuk Lee-Makiyama, Director, European Centre for International Political Economy）

§4.6 議論・研究成果

§4.6.1 議論総括——高齢化における医療制度・市場と開発における日英の協働

日立ヨーロッパ　会長　スティーブン・ゴマソール（元駐日大使）

　安倍内閣の努力により、日本のマクロ経済は、ついに前に動き出しました。同時に、人口の高齢化と高い公的債務比率は成長を脅かしかねません。日英の移民政策の違いなどでも問題となりえます。一方、医療制度では、英国は日本に効率化を学ぶ必要があります。英国の医療開発のインフラは充実しており、日本はこれを取り入れ、EU市場に進出するチャンスです。欧州企業は貿易交渉により利益を得られます。ICTの活用も重要です。研究だけでなく世界市場での医薬品開発で日英の協働と経験の交換が重要です。こうして、財政状況にあい、人口動態にあったよりよい医療制度が可能になります。

(Sir Stephen Gomersall, KCMG,
British Ambassador to Japan (1999-2004);
Director, and Group Chairman, Europe, Hitachi, ltd.)

§4.6.2 チャタムハウスの研究成果と世界の協和共栄への実践研究

　2013年6月、チャタムハウスが共催してロンドンのシティの

ギルドホールで行われた経済政策に関する講演のなかで、安倍首相は、日本が直面している高齢化社会に関し、「高齢化がもたらすイノベーションがあるでしょう。高齢化に関して世界の先頭を行く日本は、成熟した社会にふさわしいサービスや、産業、技術を生み出すのに、だれより恵まれた位置にいるのです」「すでに、欧州の革新的な企業がたくさんこの市場に参入していることは、皆様もご承知のとおりです。これらもみな、私の『三本目の矢』をかたちづくる大切な要素であることをご理解ください」と説明され、2014年5月の同所では「医療制度の改革には、もう着手しました」と進捗を伝えられました。

研究討論会Ⅱでの議論では、高齢化のチャレンジは、日本だけでなく世界が直面する課題であり、それが困難であることは明らかななか、ドラッグ・ラグ解消をはじめ、改革としては総じてポジティブな方向に進んでいるとの議論となりました。一方、財政問題、資金・人材面での産学連携の必要性、医薬産業の世界戦略上のM&Aの役割、新興市場国への展開など、克服すべき課題も提示されました。

高齢化への挑戦

日本は人口構造で重大な変化に直面しています。高齢者人口の急速な増加と低い出生率による、世界に先駆けた高齢化社会に直面し、日本は国内の社会福祉・医療制度全般を見直し、長期的な持続可能性の確保に迫られています。日本の財務省、厚生労働省、英国の保健省からのプレゼンテーションを受けて、

高齢化が変える財政・金融、医療・医薬品等市場やそれへの対応、持続可能な社会保障に向けた財政改革やアベノミクスの医療制度改革と健康医療戦略の現状と課題について議論しました。また、英国の大学に在籍する日本人教授や在日英国企業からの報告を受けて、産学連携の具体的な課題や日本の医療保険制度、英国の国民保健制度について議論を行いました。

そのなかで、英国の医薬市場の課題として、研究開発投資、法人税引下げ、NHS（英国民保険サービス）のもとでの医院の医療技術向上、日本の医療保険が行っている市場を利用した薬価の引下げや価格キャップ制によるコスト引下げがあげられ、一方、日本の医薬市場の課題として、ドラック・ラグは解消しむしろ世界より速くなっていますが、規制緩和、研究開発税制、NHSが行っている資金・人材の産学連携、EUとのEPAやTPPによる規制改革などが指摘されました。

残された日米欧三極の成長産業の世界戦略

医薬・医療品等の産業は、第3章の金融と並び、その経済社会への影響力の大きさから規制産業ともいわれ、新しい商品とその規制が、日米欧を三極とした先進国を中心にルールづくりが行われている、数少ない戦略的産業です。日本の成長戦略では、健康・医療セクターで新たな高度産業の創設を目指しています。日本政府は出生率増加にも努めつつ、年金・医療・介護制度を持続可能なものに改革しようとしています。さらに日本は、高齢化関連疾病をターゲットに、医療・医薬品等セクター

の技術を高度化しようとしています。そして、これらの改革は、戦略的規制産業であるため、これらのセクターに大きな影響を与える、日EUEPA交渉と並行して行われています。

　高齢化のチャレンジをチャンスにする、医療・医薬品・医療機器等市場の世界戦略について、医薬市場発展の鍵は資金配分システム・官僚的手続の改革と諸機関の協働にあり、日本の医療制度の強みを生かした、日米欧三極の規制当局の協働とアジア太平洋での規制枠組設定が重要と議論されました。また、医療関連産業とICTの活用事例として、マンチェスター市での試みが紹介され、医療・医療品市場拡大のための日EUEPA交渉の進捗や、交渉における日米欧トライアングル合意の重要性などが議論されました。

　その他、世界的に医薬業界ではM&Aが盛んですが、日本市場では低調で、敵対的TOBは成功例がなく、この点、国際競争力強化ができるか懸念されるところです。研究討論会Ｉとも関連しますが、日本市場ではM&Aが産業構造を淘汰・再生する機能を発揮していない点を改善する必要があります。また、いまは日米欧三極の成長産業ですが、いずれ中国など新興市場国の成長市場も重要となってきます。アジア太平洋にある日本としては、日本の医療制度の強みを生かし、日米欧三極の規制当局と協働しつつ、アジア太平洋での規制枠組みを戦略的に設定していくことが重要です。その際、東洋医薬や医食同源のアジアや日本の考え方を英米欧に情報発信したり、日本の大規模なR&D投資で、基礎研究のR（Research）だけでなく、医薬の

製品開発のD (Development) にうまくつないだりすることが必要です。何より医薬の問題は、世界の患者にとっての利益や利便性の向上の視点が中長期的に最も重要で、将来世代のために持続可能な社会保障関係制度の構築をあわせた取組みが不可欠です。

高齢化日本の医療・医薬品市場の国際競争力／将来へ向けた産官学の役割

政府は2014年6月に取りまとめた経済財政の基本方針「骨太の方針」で、日本経済の現状を「もはやデフレ状況ではなく、デフレ脱却に向けて着実に前進している」とし、少子高齢化による人口減少に歯止めをかけ、50年後に人口1億人を維持する目標をかかげ、高齢化日本の国際競争力維持・強化に向け産官学が協力して役割を果たすこととされました。

チャタムハウスは、2014年8月31日名古屋において、第9章で述べるCIIE.asiaと共催で、「日本復活を本物に：国際競争力〜変化するアジアでの日本の（産官学の）新たな役割〜」と題するパネルディスカッションを開催します。そのSession 3で、変化するアジア太平洋における日本の企業・社会の新たな役割を考えるなか、特に、本章で議論した潜在成長力を支える研究開発における資金・人材面での産学連携の必要性と企業の新たな役割について議論し、社会的責任（CSR）投資、子育てやボランティアなど家庭や社会での役割を評価する人材育成、会社で老若男女それぞれが活躍できる人材開発・教育投資の必

要性について、実践研究として、英国そしてアジアの視点から、日英 知の国際交流をする、研究討論会パネルディスカッションを行い、§4.5.1（注）の日本医療政策機構などと協働しつつ、実践研究を続けていきます。

第5章

研究討論会Ⅲ
日本は世界に開かれた会社・家庭・社会をもてるか
――日本のコーポレート・ガバナンスと行動規範改革／世界に開かれた競争力ある企業の統治方式、会社、家庭、地域社会の行動様式

§5.1 なぜいま、日本の会社・家庭・社会のガバナンスを議論するのか

チャタムハウス所長の問題意識

　チャタムハウス所長の仕事のうち、重要なものとして、世界の会員企業・団体や大使館等への情報収集・研究成果に基づく世界情勢のブリーフィングがあります。会員はここで密度の高い最新の世界の動きを知り、次の瞬間、意思決定をする根拠や理由づけ、説明や正当化に使い、企業・団体・国等のリーダーとして世界に情報発信します。こうした所長の活動はシンクタンクから会員への情報提供ですが、同時に各社・各団体・各国の特長・問題点やそれらのリーダーのもつ問題意識や見識など、絶好の情報収集機会ととらえられています。現在の所長のロビン・ニブレット氏は、もともと米国版チャタムハウスといわれている、ワシントンの戦略国際問題研究所（Center for Strategic and International Studies、CSIS）のたたき上げで副所長になり、2007年からチャタムハウスの所長となった人物です。このため情報提供が絶好の収集の機会となり、情報発信力が同時に情報の求芯力となる英米シンクタンクのビジネスモデルを身につけている人物です。その所長が長年の経験に基づき「日本復活を本物に」する鍵としてまずあげたのが、日本のコーポレート・ガバナンスと行動規範改革でした。

　日米欧OECDがリーマン・ショック後に取り組んできたコーポレート・ガバナンス改革の論点と比較した問題の所在はど

こか、いまの企業の統治方式、会社、家庭、地域社会の行動様式のままで日本企業や社会は真に国際競争力をつけ、世界の経済社会と協和共栄できるか、東日本大震災を経た後に顕著となった団結心は、日本や世界の将来のために不可欠な変化の端緒となるのか、大震災からの復興・防災や東京オリンピックに向け世界に何を発信するのか——と一連の事業・研究、特に研究討論会（ラウンドテーブル）Ⅲに所長は強い関心と期待を寄せてきました。研究討論会Ⅰの「日本は金融センターか否か」、Ⅱの「医療・医薬品等市場」、Ⅳの「インフラ投資・市場が国際競争力をもてるかどうか」は、世界で投資決定する企業・団体のリーダーたちが日本の市場や経済社会をどうみているかといった問題意識や見識などを的確にとらえ、彼ら／彼女らの頭のなかで整理されている世界に受け入れやすいように、情報発信ができるか否かにかかっています。これは企業・団体、国、地域社会、家庭、学校等のリーダーの役割そのもので、これを各団体がどう支え・是正するかというガバナンスの問題そのものでもあります。

日本人の行動様式・規範にまで迫りくるグローバル化

　国際化・グローバル化が言われ出して、すでに半世紀近くが経っていますが、モノを日本でつくって外国に輸出してきた時代の国際化、カネが外国に投資され、外国でモノがつくられ始めた時代の国際化と、ヒト・モノ・カネすべてが外国にもいき、日本にもくるようになった現在の国際化とは、私たち日本

人に求められるものが違ってきます。英米欧がつくってきたガバナンスやルールを基本に、まったく違った歴史・文化をもつ各国の行動様式・規範等に変化している市場・ビジネス環境の外国や外国企業に日本人が飛び込んだり、逆に、外国人が日本市場や企業に入ってきたりする必要が、多国籍企業でなくとも中小企業から個人まで求められる時代となり、その行動様式・規範やガバナンスが日本の国際競争力に大きく影響を与えるようになってきています。

　日本人の行動様式・規範まで、一から抜本的に変えるべきとの議論も日本や米国ではみられますが、ここ英国チャタムハウスではみられません。何のために変えるか、変えずに守るかは、民主主義では日本国民が、世界と議論して決める話です。チャタムハウスでは、こうした基本を堅持したうえで、同時に主権者としての責任ある意見や議論が強く求められます。

　何のために日本人の行動様式を変えるか、これは比較的明確な気がします。グローバルな競争が展開されるなか、日本人の生活を支えていくためには国際競争力を維持・向上させることが不可欠で、その目的のため必要最低限かつ効果的・実践的な変化が求められているのです。したがって、その現場は企業等のビジネスの場が中心となりますが、そうした会社と家庭、これらのプライベートな世界と地域社会、国などパブリックな世界の間のバランスも、日本人として豊かに快適に生活できる国、地域社会、会社、家庭をつくるために、議論から外すわけにはいきません。

日本のガバナンスの現実＝真実を議論する

　第1章でも述べたように、日本やアジアのシンクタンクは、特定の団体の意思決定（Decision Making）が先にあり、これを正当化（Excuse）しているのではないかと、その独立性に疑問がもたれる場合があります。これは、政府や企業、団体の意思決定（Decision Making）の正当性（Justice）や信頼性（Credibility）、さらには、そのリーダーがその団体を統治（Govern）する正統性（Legitimacy）が疑われかねない重大な問題です。日本が世界に開かれた競争力ある企業の統治方式を求め続ける必要性がここにあります。たとえば、日本では民主主義のもと、チームワークに基づく統治（Govern）が行われているか、特定の人の支配（Control）が行われ、人々はこれを支え・是正せず盲従し、少しでも問題や気に入らないことが起きれば、人間は間違うものとの人間的な最低限の慈悲もなく、人間性を含めて批判し尽くしていないか、リーダーを支えず、リーダーの足を引っ張ってばかりいないか、一度家庭や地域が崩壊すると、親子やコミュニティ、友人関係を回復させ保護する法制や、欧米における教会やチャリティの活動や地域社会の担っている役割がなく、崩壊したままになってしまっていないか——等々、外国人が住みやすい国かどうか以前に、私たち日本人が住みやすい国か、民主主義がしっかり根づいている国かといった問題です。これが、会社、家庭、地域社会の行動様式を根本から見直す議論を試みている理由です。

　日本政府は、コーポレート・ガバナンスについて、法改正を

して改革し、また、日本版スチュワートシップ・コードを導入して、機関投資家が企業との建設的な対話を通じて受託者責任を適切に果たすこと等により、質の高い企業統治を実現し、企業の持続的な成長を促すこととしています。西欧諸国でも、EUの2012年12月の活動計画に透明性の確保とコーポレート・ガバナンスのために必要な一連の情報を定めました。他方、2014年4月からハーグ条約が発効し、国際的なヒトの移動がより自由になるなかで、外国人、女性・男性、子どもの人権の観点から日本の家族や親子のあり方、地域・学校のあり方も世界的に議論する必要に迫られています。

以上の観点から、この研究討論会Ⅲでは、労働市場の改革を含む、日本のコーポレート・ガバナンスと行動規範改革によって、国際競争力や投資家の信任を得られるかについて議論します。2011年の東日本大震災は、国際的な連帯と連携の価値に焦点が当てられました。また、日本のコーポレート・ガバナンスと行動規範が変わるか否かは、国をオープンにし、特に2020年東京オリンピック・パラリンピックに向けて、ロンドンオリンピック・パラリンピックの経験など、外国の資本や経験を生かす必要があります。

図表5－1　研究討論会Ⅲのアジェンダ

> III Roundtable：
> 'CORPORATE GOVERNANCE AND CODES OF
> CONDUCT IN JAPAN AND IN EUROPE'

Thursday 20 March, Brunei Gallery Lecture Theatre
− Lower ground floor
SOAS, University of London, Thornhaugh Street,
Russell Square, London WC1H 0XG

Agenda

Opening remarks
Yoshikatsu Shinozawa, Senior Lecturer in Financial Studies, SOAS, University of London
Sir David Warren, Chairman, The Japan Society of the UK

Keynote speech
Takafumi Sato, President, Tokyo Stock Exchange Regulation; former Commissioner, Financial Services Agency, Japan (2007-2009)

Session 1 **Corporate governance and codes of conduct in Japan**: current developments and the balance of change or continuity to make Japan more competitive and attractive to investors

Chair: **Andrew Fraser**, Senior Adviser, Mitsubishi Corporation

Discussants:
Kenji Okamura, Vice-Chairman, OECD Corporate Governance Committee; Deputy Commissioner for International Affairs, Financial Services Agency, Japan
John Buchanan, Research Associate, Centre for Business Research, University of Cambridge
Yoshikatsu Shinozawa, Senior Lecturer in Financial

Studies, SOAS, University of London
Stephen Cohen, Partner and Chief Executive Designate, Governance for Owners

Session 2   **Investment in human capital to change people's mind-sets and attitudes: Mass or micro communication, education, labour (women's or foreigners' participation), etc.:** How to use Tokyo's market and the 2020 Olympics to turn Japan to be globalized and competitive, following international solidarity shown after the Great East Japan Earthquake

Chair: **Sir Stephen Gomersall**, KCMG, British Ambassador to Japan (1999-2004); Director, and Group Chairman, Europe, Hitachi, ltd.

Discussants:
Michael Woodford, Chief Executive Officer, Olympus (2011)
Hironobu Ishikawa, Managing Director, Mitsui & Co. Europe Plc.
Akiko Macdonald, Oceanbridge Management, Chair, The Burma Campaign Society
Takeshi Shimotaya, Managing Director, Sustainavision Ltd.; Assistant Professor, Corporate Social Responsibility, Business Breakthrough University
Ai Shimohama, Chair, Tohoku Earthquake Relief Project London

Session 3   **Does Japan or other world economic giants have competitive governance and attitudes?**

Chair: **Sir David Warren**, Chairman, The Japan Society in London

Discussants:
Akira Nozaki, Senior Policy Analyst, Directorate for Financial and Enterprise Affairs, OECD
Takuya Fukumoto, Corporate Accounting, Disclosure and CSR Policy Office, Economic and Industrial Policy Bureau, Ministry of Economy, Trade and Industry
Hiromasa Toda, Managing Director, Japan Core Competence Management Ltd.; Business Advisor, UK Trade & Investment and Jetro London (2005-2009)
Yuuichiro Nakajima, Managing Director, Crimson Phoenix Ltd.; Director, J.P.Morgan Japan Smaller Companies Trust plc.

Closing remarks
Paola Subacchi, Research Director, International Economics, Chatham House

§5.2 開会の辞

§5.2.1 挨　　拶

ロンドン大学東洋アフリカ研究学院　上級講師　篠沢義勝

　SOAS（School of Oriental and African Studies）にようこそ。チャタムハウスが、日本のコーポレート・ガバナンスと行動規範改革について、企業の統治方式から、東洋文化に根ざしてい

るかもしれない、会社、家庭、地域社会の行動様式に至るまで幅広い議論をホストできて光栄に思います。唯一の地域研究に特化した本校の教員・学生とともに、素晴らしい議論となることを期待しています。

（Dr Yoshikatsu Shinozawa, Senior Lecturer in Financial Studies, SOAS, University of London）

§5.2.2 挨　　拶

　　　　ジャパンソサエティ　会長　ディビッド・ウォーレン

　私は、在京英国大使を2008～2012年まで務め、現在はThe Japan Society of the UKの会長として、日英両国民の友好・同盟、世界のさまざまな問題の協働等を進めています。篠沢教授がスピーチしたように、日本のコーポレート・ガバナンスと行動規範改革については、文化に根ざしたものを考えられることが多く、日本独自の問題と議論されることも少なくありません。しかし、人間がやる以上どんな国でも完璧なガバナンスなどなく、英国でも、欧州でも、米国でも試行錯誤を経て改善を重ねてきており、OECDでも専門の委員会で基準改定に向けた議論が行われるなど、世界が直面している課題です。

（Sir David Warren, Chairman, The Japan Society of the UK）

§5.3　基調講演

　　　　東京証券取引所自主規制法人　理事長　佐藤隆文

　アベノミクス成長戦略とJPX（日本取引所グループ）につい

て、上場企業のコーポレート・ガバナンス強化の現状と課題、そして日本のスチュワードシップ・コード、JPXの自主規制について述べます。

アベノミクス成長戦略とJPX（日本取引所グループ）

バブル経済の崩壊、その後の不良債権問題以降、日本経済は、長期にわたりデフレに悩まされてきましたが、2012年12月に安倍内閣（第2次）が発足してから、日本国内には全般に経済の好転に対する期待が高まっています。実際に、過度な円高の是正、企業業績やセンチメントの改善、株価の回復、最近では日本国内のリーディング・カンパニーにおける賃上げ傾向が確認されるなど、いくつかの前向きな兆候が出てきています。このように期待のいくつかが現実化しており、このことが、われわれに、経済の悪循環から抜け出し、持続的成長の軌道に戻るであろうという希望を与えています。

他方、確固たる経済成長への道のりは平坦なものではなく、その実現には、内外に種々のリスク要因が存在しています。日本自身が抱えるリスク要因としては、貿易赤字拡大と経常黒字縮小、長引く原子力発電所の停止、公的債務の膨張、財政再建のための具体策に対する抵抗などがあります。海外のリスク要因も、中国のシャドーバンキングや新興国経済の不安定化から、昨今のウクライナ情勢のような地政学的な不安定性まで、さまざまに存在します。さらに、われわれは、アベノミクスの「第三の矢」である成長戦略と構造改革が、どれだけ踏み込

だ内容となり、どれだけ速く実行されるかについて、国際社会から注視されていることを認識しています。

そのような文脈において、日本取引所グループ（JPX）は、日本の金融資本市場を活性化し、コーポレート・ガバナンスを強化する面で、「第三の矢」の実現に貢献することにコミットしています。

2013年12月に公表された政府の有識者会合の報告書においても、わが国は2020年までに、主要な国際金融センターとして、アジアにおいてナンバーワンの位置を占めることを目指すべきとの提言がなされています。こうした提言は、私どもJPXが将来ビジョンとして掲げている、「アジア地域で最も選ばれる取引所」の実現とも同じ方向を向いています。ご承知のとおり、私どもJPXは、日本の金融・資本市場の国際的な存在感を高め、アジアの成長に貢献できる魅力的なマーケットを構築するとのビジョンのもと、東京と大阪の取引所が統合して発足しました。2013年1月の2つの取引所の統合は、現物市場とデリバティブ市場の強さを相互に補完し合うものであり、デリバティブ市場の取引枚数は世界でまだ後れをとっているものの、現物株市場では売買代金と上場企業の時価総額において世界第3位に位置しています。

JPXは、将来ビジョンである「アジア地域で最も選ばれる取引所」の実現のため、次の項目について取り組むつもりです。
① 売買や決済のシステムの強化による、さらに便利で信頼性の高いマーケット・インフラの整備

② 投資家にとっての利便性と上場商品のラインナップの充実
③ 上場会社に対するコーポレート・ガバナンスの強化の要請
④ マーケットの変化に即した的確な自主規制業務の遂行と市場の透明性・公正性の確保

上場企業のコーポレート・ガバナンス強化

続いて、上場会社のコーポレート・ガバナンスの充実に向けた取組みについて紹介します。

(1) 上場会社コーポレート・ガバナンス原則

JPXでは、従前より、上場会社のコーポレート・ガバナンス向上のためにさまざまな取組みを行ってきています。たとえば、上場ルールに「企業行動規範」という項目を設け、「上場会社コーポレート・ガバナンス原則」の尊重や独立取締役の確保のための努力を求めています。この「上場会社コーポレート・ガバナンス原則」には、次の項目が定められています。①株主の権利保護、②少数株主や外国人株主を含め、株主を平等に扱うこと、③ステークホルダーとの円滑な関係構築と健全な企業経営、④適時適切な開示、⑤役員等の責務やアカウンタビリティの確保。上場会社がこれらの原則に則しているかはわれわれの上場管理業務におけるチェック項目ともなっています。

(2) 会社法改正について

現在審議中の会社法改正法案についても紹介します。

日本のコーポレート・ガバナンスは、まず規制の枠組みにおいて重要な進展が起きつつあります。今般の会社法改正法案で

は社外取締役の設置が強く推奨されていますが、これは、社外取締役が、社内取締役が必ずしも有しない経験や見識をもたらすこと等によって、企業価値や収益性の向上に貢献することが期待できるとの認識に基づくものです。この想定を検証するため、JPXは、社外取締役の設置状況と上場会社のROEの関係を分析しましたが、その結果、社外取締役の設置とROEの高さの間に正の相関性が認められました。もちろん、そうした相関性をもって直ちに因果関係があるという結論を導き出すことには慎重であるべきですが、そうした相関性があるという事実は一定の説得力を有するであろうということです。

2013年11月に閣議決定され、国会に提出された今般の会社法改正案では、社外取締役や社外監査役の要件が厳格化され、comply or explainの枠組みを導入することによって社外取締役の設置が強く推奨されていることは、注目に値します。

社外取締役を置いていない場合には、経営陣は、定時株主総会や事業報告等においてその理由を説明しなければならなくなります。また、「社外監査役が2名以上いること」のみをもってその理由とすることができないことも、会社法施行規則に明記される予定です。コーポレート・ガバナンス改革は、アベノミクスの成長戦略の一環でもあり、上場会社における独立性の高い社外取締役の導入を促進することは、成長戦略の具体的施策の1つとして掲げられています。

(3) JPXとしての取組み

現時点では、会社法で社外取締役の選任を義務化するには至

りませんでした。もっとも、JPXは、規制の枠組みを補完するものとして、2014年2月に上場規則を改正し、上場会社に対して「取締役である独立役員」の選任努力義務を課しています。JPXが定める「独立役員」の定義は、会社法の社外取締役や社外監査役の定義よりも厳しいものとなっています。すなわち、独立役員は「一般株主と利益相反が生じるおそれのない社外取締役または社外監査役」と定義され、親会社や兄弟会社の業務執行者や主要な取引先の業務執行者は独立役員になることはできないとされています。さらに、JPXは、コーポレート・ガバナンス向上に向けた上場会社の積極的な取組みを促すため、さまざまな施策を実施しています。

　たとえば、2014年より、新しい株価指数「JPX日経400指数」の算出を開始しています。この指数は、資本の効率的活用、収益力、投資者を重視した経営姿勢など、グローバルな投資基準で求められる条件を満たした、「投資者にとって投資魅力の高い会社」で構成されています。この構成銘柄に含まれることは上場企業にとって名誉なこととしてとらえられています。構成銘柄は、定量的基準と定性的基準によって算出されるスコアによって選定され、定性的基準には、①独立した社外取締役が2人以上選任されていること、②IFRSを採用していること、③決算情報を英文開示していること、が含まれています。

(4) 変化の兆し

　制度設計の面だけでなく、導入した制度の効果をモニターし、その結果を社会に周知することもまた重要です。幸運にも

最近、日本のコーポレート・ガバナンスについて、いくつか象徴的な変化が確認されています。たとえば、日本を代表するグローバル企業でありながら社外取締役を導入していなかった企業として名前がよくあがった会社において、2013年はトヨタ自動車、2014年はキヤノン、新日鐵住金が、社外取締役を選任することとなりました。もっとも、単に社外取締役が存在しているだけで、常に期待している効果を得られるとは限らないことにも留意すべきです。社外取締役は、上場会社のコンプライアンス保持や企業価値向上のために、必要な意見を述べ、具体的な行動を起こさなければなりません。社外取締役が単なる物分かりのよいイエスマンやイエスウーマンであっては、せっかくの制度も無意味なものとなってしまうため、社外取締役が期待される役割をきちんと果たしているかについて、投資家がつぶさにモニタリングすることが重要でしょう。

日本版スチュワードシップ・コード

次のトピックに移ります。お聞きになったことがあるかもしれませんが、最近、日本の金融庁に設置された有識者検討会は「『責任ある機関投資家』の諸原則」として、日本版スチュワードシップ・コードを取りまとめました。

本コードは、投資先企業とその事業環境についての十分な知見をもって行う建設的な「目的をもった対話」(エンゲージメント)を通じて、投資先企業の企業価値向上や持続的成長を促す、機関投資家の責任を示しています。

本コードは機関投資家の行動指針ですが、投資先企業の取締役会が、経営の基本方針や業務執行に関する意思決定を行う直接の責任を負っており、適切なガバナンス機能を発揮して経営陣を適切に監督することによって企業価値の向上を図る責務を有していることは当然です。企業側のこうした責務と本コードに定める機関投資家の責務とは、いわば「車の両輪」であり、両者が適切に相まって質の高い企業統治が実現され、企業の持続的な成長と顧客・受益者の中長期的な投資リターンの確保が図られていくことが期待されます。

　本コードでは、①機関投資家が、スチュワードシップ責任を果たすための方針を明確にすること、②機関投資家が、経営陣との利益相反についての方針を明確にすること、③機関投資家は、投資先企業の持続的成長に向けて、当該企業の状況を的確に把握すること、④機関投資家は、投資先企業との建設的な「目的をもった対話」を通じて、投資先企業と認識の共有をすること、⑤機関投資家は、議決権の行使と行使結果の公表について明確な方針をもつこと、⑥機関投資家は、顧客・受益者に対して定期的に報告を行うこと、⑦機関投資家は、投資先企業について深く理解するとともに、適切な判断をすること、などが示されています。

　この日本版スチュワードシップ・コードと、英国のスチュワードシップ・コードは、多くの点で共通していますが、大きく3つの点で異なっています。日本版の原則4は、共通の理解と建設的な対話を強調している一方、英国スチュワードシップ・

コードの原則4では、投資先企業に対する働きかけを必要に応じて段階的に強化することとされている点が対照的です。日本版の原則7は、投資先企業についての深い理解、対話、適切な判断を強調しており、英国版にはこれに対応するものは含まれていません。さらに、英国スチュワードシップ・コードでは、他の機関投資家と共働して投資先企業に働きかけることに言及していますが、これは日本版には含まれていません。

　日本版は、英国スチュワードシップ・コードと同様に、規制や監督等によらず、いわば市場規律やレピュテーションによって、その受入れと実効性を確保する仕組みを採用しています。実務的には、日本版に賛同して受入れ表明を行った機関投資家について、規制当局がリストを公表するとともに、そうした機関投資家に対していかにその責任を果たすかについての公表を求めることとなります。こうしたアレンジによって、資金の委託者がコードを受け入れた機関投資家を特定できる手段を提供することにより、コードの実効性が確保されます。

　本件に関連し、時を同じくして現在日本で起きている事項についても触れておきたいと思います。日本には15兆ドルを超える個人金融資産がありますが、その大半が預貯金に回っています。こうした状況を変えるため、2014年1月に、日本版ISA（通称NISA）制度が整備されました。今後個人投資家による資本市場への参入が進むことが期待されますが、その多くは投資信託やETFを通じて行われるものと思われます。このため、資産運用会社によるスチュワードシップ・コードへのコミット

メントがいっそう重要な意味をもつことになるでしょう。

金融庁に設置された有識者検討会において日本版スチュワードシップ・コードが策定されたので、この後のセッションで、話をされる岡村参事官からより権威のある詳細な説明が聞けると思います。

JPXの自主規制

最後に、コーポレート・ガバナンスにおいて私が所属する組織が果たしている役割について触れておきたいと思います。

取引所の自主規制業務は、法令に基づいてなされる当局の規制・監督を補完しています。すなわち、必ずしも直接的に法令違反に該当しないケースも含め、市場における不適切な行為を特定し抑止することを目指しています。このように、自主規制業務は、投資者に公正かつ平等な投資機会を提供し、市場の質や一貫性に対する社会の信頼を構築するうえで中心的な役割を担っています。JPXでは、上場会社のコーポレート・ガバナンスに実効性をもたせるべく、「上場会社コーポレート・ガバナンス原則」に基づいて、定期的なチェックを行っています。一般論として、規制は、意図的で悪質な行為者に対してはこれを見逃さず厳しく作用すると同時に、多数を構成する遵法精神の強い市場参加者に対してフレンドリーであることが肝要です。そのため、不適切な行為の未然防止に加え、規制によって、まっとうな投資家の活動が委縮することを避けるために、ルールや原則に関する正しい理解を普及させることにも注力していま

す。

　日本の安倍首相は、2013年9月のスピーチで、「Japan is back」と発言しました。この機会に、私からは「Japan is moving forward」と付け加えたいと思います。

(Dr Takafumi Sato, President, Tokyo Stock Exchange Regulation;
former Commissioner, Financial Services Agency,
Japan (2007-2009))

質疑応答

ウッドフォード（Michael Woodford、元オリンパスCEO）：欧州では機関投資家はモノをいいますが、オリンパスのケースをとりましても株主のメガバンクや日本生命は、それこそ"イエスマン"でしかありえませんでした。最終的に私を支持してくれた機関投資家は海外の投資家でした。日本の投資家は、投資先企業の批判をしない、というのが私の印象でした。

　また、社外取締役の設置を法律で義務化しなかったことには驚きました。もっともオリンパスのケースでは、社外取締役がいたのにもかかわらず、まったく機能しませんでしたが、これらの2点についてお考えを聞かせてください。

佐藤：1点目の機関投資家の行動については、国内でもスチュワードシップ・コードを導入したところですが、現在、投資家が態度を変えなければならないということでコンセンサスができあがりつつあります。機関投資家は受託者としての責任があるということをより強く認識しつつあり、こ

うした変化が広く行きわたることを期待しています。また、ポジティブな動きの1つとしては、金融機関と融資先企業の間の株式持合いが大幅に減ってきていることもあげさせていただきます。さらに日本では、先進的な取組みで1つの企業がリードをとると他が追随するという傾向もあります。よい事例が出れば、それを他の企業がフォローするという動きが出ることを期待しています。

2点目については、社外取締役が機能しなかった事例が多くあったことは事実でしょうが、機能したケースもあったことも事実でしょう。社外取締役も「お友達」のイエスマンでは意味がありません。現時点では、社外取締役の行動をモニターする共通のフレームワークのようなものは存在しないので、この点について、社外取締役の実際の行動が中身の濃いものになるようなインセンティブや効果的な枠組みがないか、考えていくことも必要かもしれません。この点は、何かよい方法・先例などがあれば聞かせていただきたいと思っています。

英国人弁護士（会場参加者）：英国では機関投資家が集まって議論したり、ガイドラインを策定する団体（Association of British Insurers、ABI）のような組織があることをご存じでしょうか。また、今回のような規制を今後も強化していく方向にあるのでしょうか。社外取締役設置については、最低人数も規定されず、義務化されなかったようですが、この点はどうお考えですか。

佐藤：現在のcomply or explainやdisclosureの枠組みには一定の実効性があると思いますが、不十分ということであれば、さらに強化していく方向になるでしょう。社外取締役が"独立性"を明確に意識して行動し、その役割を果たすことや、それをサポートする企業文化も重要です。社外取締役に就く人たちの能力や多様性も重要で、トヨタなど最近の例では、さまざまなバックグラウンドの方が起用されています。

フレイザー(議長)（Andrew Fraser、三菱商事顧問）：英国のガバナンスに対するレコメンデーションを提示したHiggs Reportでは、会長が辞任した後は、そのポジション（後任）に独立した人間を指名することを求めました。つまりCEOがそのまま会長に上がることが否定的に考えられたのですが、この点についてはどうお考えですか。

佐藤：1つのおもしろい考え方でありますが、制度での対応というより、各社各様の事情がありますので、それらに応じたそれぞれ適切な対応があるように思います。

§5.4 Session 1：日本のコーポレート・ガバナンスと行動規範改革

最近の進捗、競争力向上や投資家呼込みに必要な変化と保守

§5.4.1 成長戦略としてのコーポレート・ガバナンス改革

金融庁総務企画局　参事官（国際担当）　岡村健司
（OECDコーポレート・ガバナンス委員会副議長）

　昨日までずっとOECDコーポレート・ガバナンス委員会で国際的な議論をしていましたので、「Japan is back」がテーマの当会議は、私にとってもまさに「Japan is back」です。佐藤理事長のお話との重複を避けつつ、政策当局者の視点から、日本がコーポレート・ガバナンス改革を成長戦略のツールとしていかに活用しようとしているかをお話いたします。

　コーポレート・ガバナンス強化は、アベノミクス「第三の矢」の柱です。安倍総理のダボス演説には、「日本は、会社法改正による社外取締役の増加と、スチュワードシップ・コード導入により、2020年までに対内直接投資を2倍にできる」との一節があり、コーポレート・ガバナンス強化を競争力向上のための施策とするとの政治的意思が明確に示されています。効果としては、短期的には、透明性向上を通じて、海外投資家の信認向上や資本市場活性化をもたらし、中長期的には、企業のマ

図表5－2　アベノミクスの柱としてのコーポレート・ガバナンス

Corporate Governance as a Pillar of Abenomics

○ Strengthening CG ⇒
  ➢ Improve confidence from investors abroad
    ⇒ Invigorate capital markets
  ➢ Improve management capabilities
    ⇒ Enhance profitability, value of companies, and capital efficiency

○ Specific measures
  ➢ Increasing independent directors ("ID"s)
  ➢ Japan's Stewardship Code
  ➢ JPX-Nikkei Index 400

ネジメント能力の向上を通じて、収益性強化や企業価値の上昇、ひいては資本の効率性の向上に資するものです。具体的施策例は、以下の3点です。

　第一に、社外取締役の増加です。現在国会で審議中の会社法改正法案では、comply or explain 原則が強化され、実質上は義務的設置に近い中身となっていますし、2年後の検討条項は一種の義務的設置の段階的導入との見方もあります。社外取締役を、企業の収益性向上に資するポジティブなものとして受容する企業意識は、急速に広がっています。

　第二に、スチュワードシップ・コードです。その内容や特徴は、佐藤理事長のお話のとおりなので省略し、コードの運用面につき付言します。コードに同意する機関投資家を、金融庁

が、そのスチュワードシップ活動の方針等を掲載したウェブサイトへリンク付きで公表し、公的な認知と広報によって、コードへの同意に対しレピュテーション・インセンティブを付与するものです。これにより、機関投資家のエンゲージメント強化、企業の成長可能性に関する透明性向上と株主への説明責任強化などが期待できます。また、GPIF（年金積立金管理運用独立行政法人、資産規模120兆円）が、アセット・マネージャー選定にあたりコード受入れを考慮すると表明していることも、コードの普及に資すると考えられます。

第三に、JPXの新たな株価指数です。構成する400社の選定基準には、投資リターンと収益性が重視され、コーポレート・ガバナンス要素も加点事由として考慮されています。新指数の構成企業として選定されることが企業にとっての目標となり、投資リターンや収益性の向上、コーポレート・ガバナンス強化の努力へのインセンティブを付与し、企業の中長期的成長に資することが期待されています。

（Mr Kenji Okamura, Vice-Chairman,
OECD Corporate Governance Committee;
Deputy Commissioner for International Affairs,
Financial Services Agency, Japan）

§5.4.2 日本の強固なコーポレート・ガバナンス構造の何を変え、何を守るか

ケンブリッジ大学CBR　研究員　ジョン・ブカナン

戦後日本が達成してきた素晴らしい実績にもかかわらず、そ

のコーポレート・ガバナンスについて構造的な欠陥が近年指摘されています。ポートフォリオ投資家への注目が欠如していた点などが特に示唆されています。今日、コーポレート・ガバナンスの改革を通じ、日本経済の活性化に向けて新たな取組みを導入する努力が出てきました。

① 2014年5月までに予定されている会社法改正
② 2014年2月証券取引所による、法律とほとんど同じ拘束力をもっている規則（いわゆる「ソフトロー」）の施行
③ 金融庁のスチュワードシップ・コード（実施ずみ）

しかし、いま予定されている新たな企業構造は現行のものとあまり変わりません。もう1つの企業統治構造の選択肢が本当に必要でしょうか。日本は非常に強いコーポレート・ガバナン

図表5-3

Some thoughts on this

- New company structure seems to add very little: does Japan need another optional structure?
- External supervision is certainly lacking in current system: redefinition of external directors makes them more plausible.
- Soft law approach from Exchanges: likely to ensure minimum of one external director at all listed companies.
- "Stewardship" is vague in UK: will it help in Japan? Should Japan's institutional investors perhaps pay more attention to their own customers instead?
- Influence of agency theory ideas? Are experts still trying to solve the wrong problems in Japan?
- Change needs to accommodate itself to existing system: why not acknowledge strengths and concentrate on incremental change?
- Is the objective to promote higher returns for pension funds or to revitalise Japan's companies? Hard to see how external directors and stewardship alone will increase competitiveness of Japanese industry.

ス構造をもっています。過去の変革は、学者、法律家、国家公務員（要するに、知識をたくさんもっているにもかかわらず、実業の関係者の観点からみて実際的経験の足りない人たち）によって牽引されてきました。しかし、古い慣行をなくすことはむずかしい。外部の監督は現在のシステムにおいてたしかに不足しているので、社外取締役をあらためて定義づけることは、積極的な動きと思われます。大企業が率先すれば、中小企業もそれに従っていくでしょう。

しかし、安倍政権が目指している取組みが実施されても、過去にさまざまな似通っている取組みが失敗してきた日本において、社外取締役やスチュワードシップ・コードだけがはたして日本経済を立て直すために足りるかどうか疑問点と思われます。

（Dr John Buchanan, Research Associate, Centre for Business Research, University of Cambridge）

§5.4.3 よいコーポレート・ガバナンス体制がよい投資を生むわけではない

ロンドン大学東洋アフリカ研究学院　上級講師　篠沢義勝

素晴らしいコーポレート・ガバナンスの仕組みがあるからといって、よい投資になるとは限りません。例として過去20年間の自動車会社3社の株価成長率をみてみましょう。コーポレート・ガバナンス体制が弱いとされるフォルクスワーゲンの株価は、フォード、トヨタに比べて大きく伸びています。模範的なコーポレート・ガバナンス体制を有するが、株価の伸びが見込

図表 5 − 4

A company with good corporate governance is not necessarily a good investment.

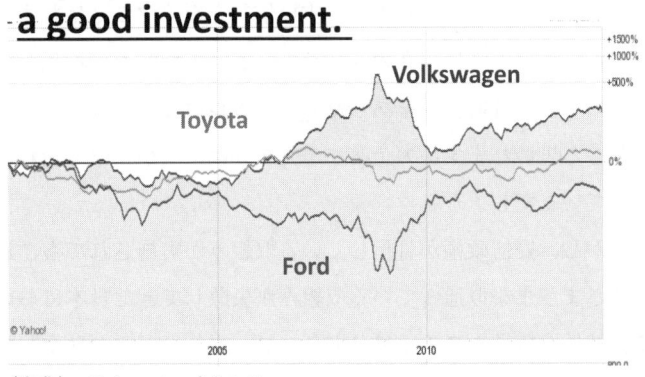

(出典) Yahoo ファイナンス。

まれない企業の株式を買うか、それともコーポレート・ガバナンス体制は未熟だが、大幅な株価の成長が見込まれる企業の株を買うか、これは切実な問題です。

(Dr Yoshikatsu Shinozawa, Senior Lecturer in Financial Studies, SOAS, University of London)

§5.4.4　投資決定に必要なオープンなガバナンス

ガバナンス・フォー・オーナーズ　会長　ステファン・コーエン

　30年間日本の株式に投資をしてきましたが、現在は状況がすっかり変わりました。日本政府による成長を再び促す政策により、投資ファンドは、よりオープン・マインドな企業の取締役

と話し合える機会をもてるようになりました。しかし、日本がこのようなことだけで、投資決定して罠にはまらないように気をつけなければなりません。

(Mr Stephen Cohen, Partner and Chief Executive Designate, Governance for Owners)

§5.4.5 ディスカッション

フレイザー(議長)：日本の競争力を高めるためには、金融庁や東証自主規制法人などの規制当局は、日本企業の監督を強めなければなりません。スチュワートシップ・コードは英国でも効果がなく、日本でも期待できません。

コーエン：日本の資本分配の失敗のせいで、多くのセクターで非生産的な過剰投資が行われました。フレイザー氏のいうとおり、監督を強める必要があります。

佐藤：従来から日本企業は、株主以外にもさまざまなステークホルダー(取引先、消費者、従業員、融資銀行、地域社会、規制当局など)とよい関係を維持することを大切にしてきました。こうした関係維持(smooth management)は戦後日本でうまく機能してきましたが、業務もファイナンスもグローバル化し外国人投資家も増えている状況下、こうした構造的な変化への的確な対応が求められています。そのためグローバルなステークホルダー対応も意識する必要が高まっています。

　そもそも最も重要なステークホルダーは株主であり、企業

は、成長するためにはエクイティーファイナンスなどを必要とし、このためにも株主を尊重する必要があります。日本は人口縮小や高齢化の問題も抱え、海外との協力なしに孤立しては存続できません。前述の構造変化もふまえ、これまでのマネジメントの哲学にグローバルな視点をより明示的に加えていくことが求められています。一方で、多様なステークホルダーとよい関係を維持するという経営哲学は重要だし、また日本の企業社会ではshort-termismは好まれていませんが、他方で、時代の要請に応えてグローバル・スタンダードにも合致する経営に努めることも必須になっています。

岡村：佐藤理事長の発言のとおり、日本が改革のプロセスを進めるにあたり、コーポレート・ガバナンスの国際的なスタンダードや他国の先行事例による知見は、大きな助けとなります。異なる法制度を背景にした英国のモデルを導入することは、日本に複雑なコンフリクトのリスクを抱えさせることになると言う人もいますが、日本は英国のモデルを直輸入するのではなく、自国の法制度、企業文化、社会システムの諸事情をふまえて再定義し、また実施していく過程で運用上の改善を積み重ねていくという方法を採用しています。

投資家（会場参加者）：英国でもそうだと思っていますが、日本では、企業形態などの制度を複雑にすることに慣れてしまっていないでしょうか。結果として、規制上のルールや企

業の書類作成も膨大なものになっています。「Keep it Short and Simple（KISS）」といわせてください。

佐藤：私はプリンシプル・ベースの考え方をうまく使うことが大切だと考えています。共通の規範が多くの人々に共有されていれば、ルール依存は軽減できると思います。私が金融庁長官の時代に、金融規制においてプリンシプル・ベースとルール・ベースの最適な組合せを提唱し、その導入を働きかけました。ご指摘の問題には、プリンシプル・ベースの枠組みと、開示（disclosure）と市場規律（market discipline）を充実させることが1つの出口かもしれません。

§5.4.6　フレイザー議長による中間総括

日本の法的、社会的システムの抑制は、いちばん大きな課題です。過去数十年にわたってこのシステムを変えるためのさまざまな取組みがなされてきましたが、残念ながら、古い日本のコーポレート・ガバナンスのモデルは常に残ってきました。だからこそ、コーポレート・ガバナンスや行動規範、様式の問題は、日本企業や市場が真にグローバル化して国際競争力を回復することができるかの試金石になるといえます。

§5.5 **Session 2：人々のマインドセットや行動様式：人的資本投資、コミュニケーション、教育、女性・外国人の参画した労働市場等の取組み**

東日本大震災の後にみられた国際的な連携に続き、東京市場や2020年のオリンピック・パラリンピックを活用して日本をグローバルで競争力ある国に

§5.5.1　開会の辞——日本の社会、家庭、会社はどこに向かおうとしているか

日立ヨーロッパ　会長　スティーブン・ゴマソール（元駐日大使）

　このSession 2では、さまざまなバックグラウンドをもつプレゼンテーターにもスピーカーとして集まっていただきました。

　これまでのSessionでは、日本のコーポレート・ガバナンスについて、専門的かつ詳細な議論が行われてきました。個人的な意見としては、これまで日本のコーポレート・ガバナンスに大きな進歩がみられていると思います。私が取締役を務める会社では、いまでは14人中、4人を非日本人取締役が占めており、取締役会の様子がおおいに変わりました。3人は日本語を話さないので、理事会では、英語でのディスカッションが行われるようになりました。この3人はしっかりと自分の意見を発言するので、日本人も同じように発言するようになりました。

実際のところ、これによって取締役会、経営が大きく影響を受けるようになってきました。

このテーブルでは、コーポレート・ガバナンスから少し視点を広げ、日本の社会がどこに向かおうとしているのかについて、さまざまなスピーカーの意見を聞きます。女性の社会進出、企業の社会的責任（CSR）、ボランティアセクター、大企業といった分野からのお話をいまから伺いましょう。

アベノミクスの第一、第二の矢では、GDPは1.3％の成長にとどまるという試算があります。構造改革が行われなければ、これ以上の成長は見込めないのではないでしょうか。また、日本経済新聞によると、構造改革、この場合、移民政策等の手を打ち、労働市場の改革が行われない限り、現在6,500万人の労働人口が2060年には、4,500万人に減少するといわれています。移民政策の開放によって、短期的には労働人口を持ち直すかもしれませんが、長期的にみれば、新たな別の課題ともなりえます。

(Sir Stephen Gomersall, KCMG,
British Ambassador to Japan (1999-2004);
Director, and Group Chairman, Europe, Hitachi, ltd.)

§5.5.2 資本市場の新陳代謝機能・メディアの批判機能でアジア主導を

元オリンパス　CEO　マイケル・ウッドフォード

研究討論会Ⅰにあった、日本が「2020年までに世界第一の金

融センターの地位を確立したい」という話は、非現実的です。このような考え方は、アベノミクス導入のハネムーン気分に酔っているだけです。たしかに2013年にはTOPIXが59％上昇し、日本に投資した多くの人たちが一儲けしましたが、実際のところ750億ドルもの金が投入されています。資本主義の原則に従えば、アセット・バブルが起こってしかるべき状況です。

　日本は根本的に変わろうとしているのでしょうか。日本の企業にルネッサンスがあるのでしょうか。日本が変わるためは、欧米式のマネジメントの要素を日本式のマネジメントに導入しなくてはなりません。これは、何でも欧米式がいいというわけではなく、うまくミックスさせなければならないということです。

　さまざまな改革が行われるのは歓迎すべきことですが、いちばん重要な行動を選ぶとすれば、現在機能していない資本市場が、きちんと機能するようにすることです。日本では海外からの買収はもちろんのこと、敵対的買収や国内の買収はほとんど表面化していません。経済・産業の新陳代謝のためには強い企業が弱い企業を吸収しなくてはならないのに、日本では、これが起こりません。このことが資本市場の機能を邪魔しています。弱い会社は暗黙の了解で、日本の大銀行に守られているからです。

　日本が本当に海外からの投資を歓迎するのであれば、必要とする投資は資金ではなく、考え方です。そもそも日本は非常に内向きな社会です。いま、日本は海外の企業買収を進めていま

すが、そうなれば外国の違う考え方をもった人を従業員としてマネジメントしていかなくてはいけなくなります。欧米の企業を買うということは、単にモノを買うのではなく、欧米人をマネジメントしていくということを意味するのです。

　日本に最も必要なことの本質は、ここチャタムハウスのように、聖域なく独立した議論を行い、批判する能力です。機関投資家は経営について公然と批判できる能力が必要です。批判することは、経営者に恥をかかせることではありません。経営がうまくいっていないのであれば、投資家がCEOに対して批判できなければなりません。

　日本のメディアもしかりです。もちろん西洋のメディアが完璧なわけではありませんが、少なくともジャーナリストとしての職業倫理に基づき、常に批判することへの挑戦を続けています。一方で、日本のメディアは自ら検閲を行い、大きな権力を批判することをおそれています。

　能力のある若者が日本の社会システムでは、「出る杭は打たれる」ことのないように槌を隠さなくてはなりません。本来、杭は1本だけではなく、いくつもの杭が屹立していなくてはなりません。それが、アジア太平洋での民主主義国家、先進資本主義国家として、日本がこの地域と世界をリードしていくべき方向だと思います。

（Mr Michael Woodford, Chief Executive Officer, Olympus（2011））

§5.5.3　日本の企業文化の強み——「よい仕事」の企業理念

三井物産常務執行役員欧州・中東・アフリカ本部長兼欧州三井物産
社長　石川博紳

　日本の企業文化について話します。私からは、日本の企業文化には素晴らしい面があることを紹介したいと思います。

　私の勤める三井物産には長い歴史があり、多くのポジティブなストーリーがあります。しかし過去に起きたスキャンダルは、日本企業の信頼を傷つけ、日本のコーポレート・ガバナンス自体にも疑問符をつけてしまいました。

　世界中あらゆる組織、企業において、必ず過ちというものは発生します。重要なのは、そこから何を学び、今後にどのように生かしていくかということです。三井物産の檜田松瑩前社長は、社員の考え方を変えることに着手し、短期的な利益ではなく長期的な利益に焦点を当て、企業文化の変革を進めました。さまざまなコンプライアンスに関する教育プログラムを行い、新しい企業理念（コーポレート・フィロソフィー）を掲げました。それが「よい仕事」だと思います。私自身、EMEA（欧州、中東およびアフリカ）地域のトップとして、企業文化の変革に力を注いでいます。人的資源の活用と企業理念を通じて、コンプライアンスの向上に努めています。1960〜1970年代と比べ、競争は激しく、コンプライアンスも厳しくなっています。

　なぜ三井物産は変わろうとしているのでしょうか。メディア

の追及をかわすためではありません。そう変わることが正しいことだからです。そうすることで競争力を保ち、顧客からの信頼を得てビジネスを得るからです。いまでは、三井において、すべての社員が「よい仕事」という企業理念を理解していることが強みとなっています。これこそが、社会のニーズに応え、利益を享受するバランスを保つ鍵であり、社員にも恩恵をもたらすのです。こうして、企業活動の持続性を保つことができます。当然、われわれは利益を追求しなければなりません。しかし、「よい仕事」を行うということは、長期的な利益とパートナーシップをもたらす投資なのだと思います。

(Mr Hironobu Ishikawa, Managing Director, Mitsui & Co. Europe Plc.)

§5.5.4 女性の積極活用が日本を開く

オーシャンブリッジ・マネジメント　講師　マクドナルド昭子

　日本が世界との国際競争力に打ち勝っていくためには、世界の雇用状況を調べる必要があります。日本人口の少子化が避けられない世の中になってきたいま、多くの企業は優秀な人材を確保し、マネージしていかなければなりません。女性の才能を活用させるには、いままでの雇用、再雇用における条件を変えていかなればなりません。また、外国人も採用していかなければ、グローバル競争に打って出ることはできません。

　ワールド・エコノミック・フォーラムの世界競争率分析リポート2014年版およびジェンダーギャップリポート2013年版から

抜粋しますと、世界の優秀な人材の惹きつけ度を比較した場合、世界148カ国のなかでスイスがトップで、シンガポールが第2位、カタール第3位、英国第4位、香港第5位、米国第6位、マレーシア第22位、中国第26位、韓国第31位、インド第54位、台湾第59位で、日本は驚愕するほど低く第80位です。男女の収入格差のランキングは136カ国中第79位。男女雇用の機会均等を満たさず、男女格差を顕著に表しています。日本はビジネス社会ですが、そこでは女性に決定権を与えず、ビジネスの現場では契約交渉から契約に至るまで、男性が主導しています。管理職のキャリア・パス用トレーニング対象者も男性がほとんどです。伝統的で封建的な男女の役割分担が日本社会、企業社会に残っており、女性はサービス業を除くと、ほとんどの産業において、ビジネスの前線や中枢には使われず、常にサポート役に徹することが慣習となっていたため、能力のある女性の管理職などへの進出を妨げていました。

　日本の将来には、異文化環境でビジネスを行う機会が増えることを視野に、男女格差のない社会を目標に、女性の能力を受け入れるポジティブな文化を創造する必要があります。そのためには日本社会にある男女の意識のマインドをシフトさせ、企業内の組織文化を整え、女性が進出できるさまざまな道筋をつくり、社会と企業を一体で変革していかなければりません。女性が、トップレベルのポジションでコーポレート・ガバナンスに参画するよう組織を変革・強化し、そのうえで世界に進出することが必要です。それには、企業内での男女の意識改革と人

図表５−５　優秀な人材に対する国別惹きつけ度

Working Women Ratio in the World
Global Gender Gap Report 2013

COUNTRY CAPACITY TO ATTRACT TALENT

	COUNTRY OUT OF 148 NATIONS		
1	SWITZERLAND	18	NETHERLAND
2	SINGAPORE	20	GERMANY
4	UK	22	MALAYSIA
5	HONG KONG	26	CHINA
6	USA	31	SOUTH KOREA
9	CANADA	54	INDIA
17	AUSTRALIA	59	TAIWAN
		80	JAPAN

ESTIMATED EARNED INCOME
(Ranking by Indicator, 2013)

WORLD (136 Nations)	World Rank (Female only Rank)
Luxembourg	1
Norway	1
Singapore	1
Switzerland	1
USA	5
Germany	20
UK	**23** (50) 2010
CHINA	48
Philippines	68
JAPAN	**79** (90) 2010

材育成、環境づくりに努めなければならないでしょう。日本は世界第３位のGDPを誇りながら、女性管理職、マネージャークラスの世界比は、114カ国中、下から８番目、上から106番目に甘んじています。女性が真に社会の束縛から自由となり、コーポレート・ガバナンスのなかで責任ある地位につくことができるような社会を築くことは、安倍政権が企図する構造改革を達成するために必要不可欠です。

　　　　（Mrs Akiko Macdonald, Oceanbridge Management, Chair, The Burma Campaign Society）

§5.5.5　日本企業のガバナンスへの社会的責任投資の影響

サステイナビジョン　代表取締役　下田屋毅

　社会的責任投資（SRI）／ESG投資が、日本企業のコーポレート・ガバナンスへどれほど影響を与えるかについて、企業の社会的責任（CSR）の観点からお話します。

　まず初めにSRIにかかわる言葉として、CSRの言葉の意味について整理しますと、CSRは日本では一般的に法令遵守、寄付活動、ボランティア、環境保護活動などのイメージがあり、コストや本業と関係のない余計なものと理解されることが多いのですが、本来のCSRとは、企業活動＝CSRということができるものです。CSR活動の実施は、企業の社会的・環境的な持続可能性に貢献し、将来に非常に重要なものなので、この点で理解が必要です。

　企業はだれのものかという議論においては、会社は株主のための株主価値の向上をするという考え方から、最近では株主およびその他のステーク・ホルダーの興味や影響を考慮するいわゆるCSR的な意思決定が欧米では行われています。CSR活動の実践によって、ステーク・ホルダーからの信頼や評価を得て、さらに企業価値の向上に結びつけているのです。この企業価値を高めるという点においては、SRI／ESG投資が鍵となります。このSRI／ESG投資は、企業の中長期的な経済的・社会的利益を考慮するもので、企業の持続可能性と倫理的影響を測

図表 5 – 6 世界の社会的責任投資（SRI）の市場規模

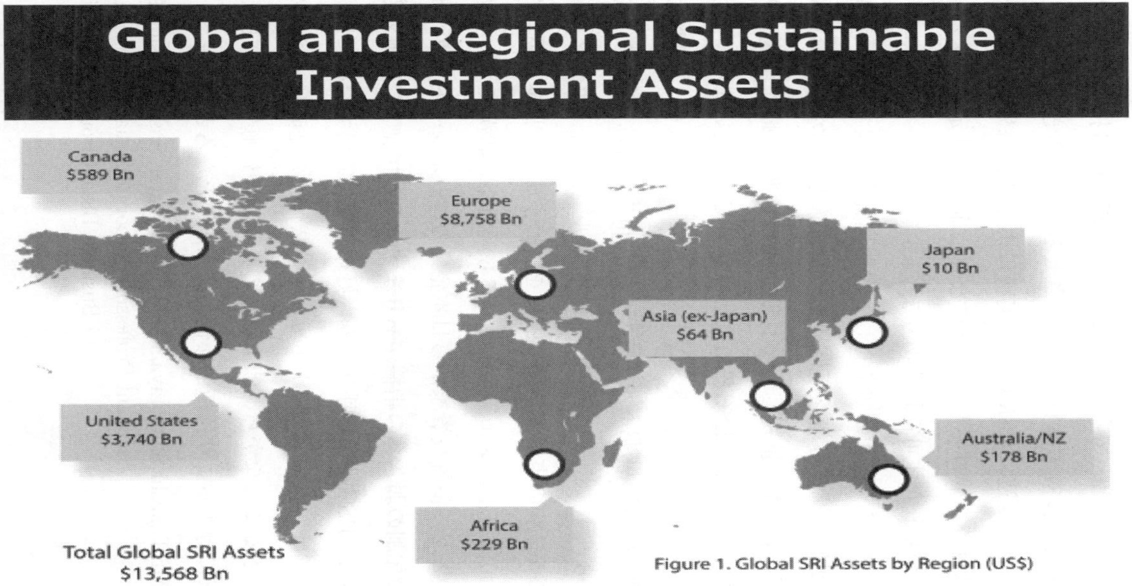

Global and Regional Sustainable Investment Assets

Canada
$589 Bn

United States
$3,740 Bn

Europe
$8,758 Bn

Africa
$229 Bn

Japan
$10 Bn

Asia (ex-Japan)
$64 Bn

Australia/NZ
$178 Bn

Total Global SRI Assets
$13,568 Bn

Figure 1. Global SRI Assets by Region (US$)

Source: Global Sustainable Investment Review 2012

定するものとして非常に重要です。SRI／ESG投資は、日本企業のCSRに対する行動を変えさせる１つの引き金となり、そして企業は逆にCSR活動の実践によって、海外からのSRI／ESG投資を受けられるようになり、企業に肯定的なスパイラルをつくりだす可能性があります。

　アベノミクス第三の矢では、民間投資を喚起する成長戦略の「長期的に持続可能な経済社会の基盤確保」のなかにおいて、「持続可能性を重視した中長期投資の推進」「地球環境への貢献」つまりSRI／ESG投資に焦点が当てられています。2012グローバル・インベストメント・レビューによれば、世界のSRI市場規模は13.6兆ドルのうち、欧州市場８兆7,580億ドル（全体の65％）、米国市場３兆7,400億ドル（28％）、カナダを含めたこの３つの市場で全体の96％を占めますが、日本市場はたった100億ドル、シェアは0.1％にも満たない状況です。要因の１つとして海外投資家から日本企業のコーポレート・ガバナンスの体制の弱さへの指摘があります。この状況下で、海外からのSRI／ESG投資を呼び込み、好循環を生み出すためには、日本企業は、コーポレート・ガバナンス体制の見直し・強化の実施もさることながら、CSR活動の推進、特に海外SRI／ESG投資家に対するより積極的な情報開示が鍵となると思います。

（Mr Takeshi Shimotaya, Managing Director, Sustainavision Ltd.;
Assistant Professor, Corporate Social Responsibility,
Business Breakthrough University）

§5.5.6　震災ボランティアで輝く女性と女性のリーダーシップで輝く日本

TERP London　代表　下濱愛

　私が代表を務めるTERP Londonは、東日本大震災発生直後から、「支援者を支援する」プラットフォームとして、ロンドンを拠点に活動を続けてきました。メンバーは全員ボランティアで、皆、フルタイムの仕事や学業に従事しながら活動しています。TERP Londonで開催された支援者同士の会議で、私はあることに気づきました。会議テーブルに女性が多いのです。ある時は、新生児を抱えたお母さんも参加していました。TERP Londonはこれまでに37のプロジェクトを支援してきました。そのうち75%のプロジェクトで女性がリーダーでした。

　これに対し、マッキンゼーの調査によれば、日本における中間管理職以上の女性のマネジメントは11％、CEOに至っては1％です。この違いは、なぜ生じたのでしょうか。たしかに、ロンドンには女性のほうが男性よりも多数暮らしています。それを差し引いても、私は以下の3つの要素が関係していると考えました。①バーチャル・モビリティ、②コラボレーション、③アイデンティティです。

① 　バーチャル・モビリティ……現在女性が社会進出をしにくいことについて考える場合、歴史的なとらえ方をしなければなりません。農耕にたずさわりながら家と働く場所が近かったライフスタイルから、産業革命後には、工場や会社

に通勤しなければならなくなりました。このような社会的／経済的変化に、女性は乗り遅れました。それは、移動という障壁が存在したからです。20世紀から今日に至るまで、女性はいまだにこのような社会／経済的な構造のなかで何とかしようともがいているのです。

　私たちは、いまインターネットの時代にあります。大災害が起こった時、女性たちはインターネットを使って活動を始めました。住んでいる場所が物理的に離れていても、実質的にはスカイプやGoogle＋ハングアウトなどのおかげで、自宅にいながらミーティングに参加したり、コミュニケーションを進めることができました。テクノロジーによって、女性は移動という障壁からの自由を得たのです。私はこれをバーチャル・モビリティと呼んでいます。

② コラボレーション……震災復旧・復興支援活動は、個人や小さな組織から始まるものがほとんどでした。このような活動は、グループを小さい規模にとどめながら、異なる個人やグループとのコラボレーションを進めることで、支援を展開しました。人体における、細胞の働きのような動きをしました。このようなコラボレーションで、女性のコミュニケーション能力／調整能力はおおいにその力を発揮しました。

③ アイデンティティ……ボランティア活動を通じて、これまで「社会貢献＝会社で働くこと」という意識であったのが、会社で働かずとも社会貢献の道がある、ということに多くの女性が気づきました。ここに、社会における私、そ

して、市民としての役割を見出したのです。

　これらの3つは、女性の社会進出の鍵となりえます。日本では、伝統的に決定は上から下に伝達され、それを実行することに長けてきました。しかし、震災復興支援活動において女性がみせたリーダーシップは、ダイナミックで流動的でした。上から下のピラミッド型の命令伝達による規制ではなく、コラボレーションにより、各個人の仕事を調整しながらプロジェクトを有機的に進めるというスタイルが多くみられました。こうした支援活動で発揮された女性のリーダーシップを、今後の日本における女性の社会進出にうまく応用できないものでしょうか。次の100年間に向け、女性が解放されるためには、男性優位の社会構造から、真に自由にならなければなりません。そのためには、まず女性自身が社会の一員としての自覚をもち、社会に貢献する気概をもつことが大事です。

(Mrs Ai Shimohama, Chair, Tohoku Earthquake Relief Project London)

§5.6　Session 3：日本と世界は競争力あるガバナンス・行動様式をもてるか

§5.6.1　OECDのコーポレート・ガバナンス原則の改訂
　　　　OECD金融企業局　シニア政策アナリスト　野崎彰

　OECDのコーポレート・ガバナンス原則の改訂に関するロードマップを説明します。1997年のアジア経済危機後に導入さ

図表5-7 OECDコーポレート・ガバナンス原則の改訂状況

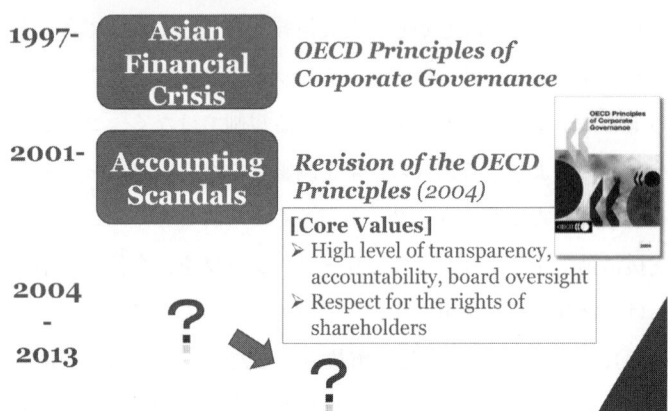

What is the next step for the OECD Principles?

1997- **Asian Financial Crisis** — *OECD Principles of Corporate Governance*

2001- **Accounting Scandals** — *Revision of the OECD Principles (2004)*

[Core Values]
- High level of transparency, accountability, board oversight
- Respect for the rights of shareholders

2004 - 2013 ?

れたOECD原則は、2001年に起こった一連の会計不正事件の後、2004年に改定されました。今回の改訂は、2007年の金融危機をはじめとして、資本市場を取り巻くさまざまな環境変化に対応するものです。具体的には、機関投資家の運用資産の増加、議決権行使助言会社の画一的利用、インデックス投資や高頻度取引（HFT）の発達などに伴い、株主の企業に対するエンゲージメントのインセンティブがゆがめられている、といった指摘に対応していく必要があると考えています。

（Mr Akira Nozaki, Senior Policy Analyst, Directorate for Financial and Enterprise Affairs, OECD）

§5.6.2　企業価値と資本効率の向上のためのガバナンスを

経済産業省経済産業政策局　企業会計室長　福本拓也

　日本経済のマクロ指標が改善するなか、持続的な成長軌道に乗せるためには、ミクロ／企業レベルの「稼ぐ力」、ファンダメンタルズを確実なものにしていく必要があります。より長期的な視点では、人口減少と高齢化、グローバル競争に直面するなか、日本のさまざまな資源・資本を浪費する余地はなく、金融資本のみならず、人的資本、知的資本など「広い意味での資本効率（Capital Efficiency）」を高め、将来成長に向けたストックを形成していくことが大きな課題です。

　ガバナンスは重要な要素ですが、ガバナンスのためのガバナンスではなく、企業価値と資本効率の向上という目的に照らし、企業と投資家を含む「投資チェーン（Investment Chain）全体で全体最適を追求していくことが重要です。現在取り組んでいるプロジェクト（ITO Review）では、日本のガバナンスや市場にまつわるステレオタイプや印象論から脱却し、世界中から寄せられたエビデンスベースの現状分析と提言を行います。これをベースとして、先ほど紹介のあった会社法改正やスチュワードシップ・コード、GPIF改革、東証の取組みをパッケージとして、企業と投資家との相互の信頼に基づく環境を築いていくことは、持続的な投資を促進するために不可欠と考えています。皆様からのフィードバックをぜひいただきたいと考

図表5 – 8　企業の持続的な価値創造フレームワーク

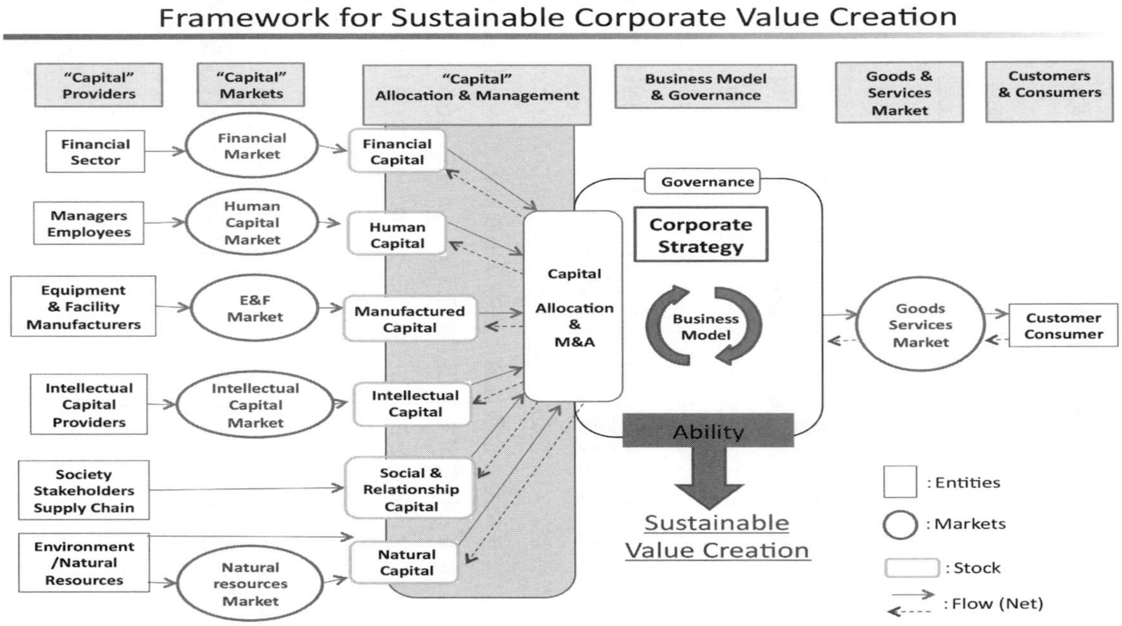

Framework for Sustainable Corporate Value Creation

158

えております。

(Mr Takuya Fukumoto, Corporate Accounting,
Disclosure and CSR Policy Office,
Economic and Industrial Policy Bureau,
Ministry of Economy, Trade and Industry)

§5.6.3 ガバナンスを支える経営管理——リスクの回避からマネジメントへ

JCCM　代表　戸田洋正

　日本がよりいっそう魅力的な市場となり再び成長を続けていくためには、コーポレート・ガバナンスのレベルを国際水準に引き上げ、安心して投資するに足る経営管理能力を身につける必要があります。特にリスクに対する対応能力を強化することが喫緊の課題といえましょう。

　リスク・プリベンション（事故の発生を未然に防止する対策）とリスク・マネジメント（事故が起こっても損害を極小化する対策）とは、その視点も具体的対策も異なります。しかし日本ではRisk Managementを「危機管理」と訳して使っていますが、その実態はリスク・プリベンション（リスクの回避）に終始しているケースが大部分です。この２つのまったく視点の異なる対策を混同してしまったことが、多くの緊急避難所を防潮堤・防波堤よりも低い場所に指定することとなり、東日本大震災で数多くの尊い命が避難所のなかで失われるという最悪の結果を招きました。また、東京電力福島第一原子力発電所の被害を甚大なものにしてしまった要因でもあります。

リスク・マネジメントにおけるリスクとは、回避するものではなく正面から向き合い、最悪の場合でも損失を最小限に抑えるための創意工夫をするものです。リスクから逃げてばかりいては成長もありません。

　食品偽装や虚偽表示をはじめ、リスク・マネジメントに対する誤解や理解不足から生じた企業の不祥事も相変わらず後を絶ちません。また、その事故による被害・損失をいたずらに大きくしてしまっています。日本が安定的に成長を続けていくためには、企業も自治体もリスク・マネジメントに対する考え方を抜本的に変える必要があります。

(Mr Hiromasa Toda, Managing Director,
Japan Core Competence Management Ltd.; Business Advisor,
UK Trade & Investment and Jetro London (2005-2009))

§5.6.4　高いリターンに挑戦する開かれたガバナンスのモデルを

Crimson Phoenix　代表　中島勇一郎

　日本では明確で汎用性のあるコーポレート・ガバナンスのモデルというものがまだ存在していません。優れたコーポレート・ガバナンスの最大の目的とは、企業が有する資源の最適な配分を目指すものであるにもかかわらず、多くの制約がいまだに存在し、日本の企業業績の向上を阻害しています。日本企業は、自らの生態系の外の者に対して、驚くほど内向きな態度をとります。このことから、日本においては知った者同士の関係

というものが、いまだにビジネス部門で大きな役割を果たしているのかがわかります。

　ある新たな提案が生態系の外の者からあったとしても、そのメリットは検証されることもなく門前払いされ、既往の関係のほうが重要視される。このような状況から、1つの疑問にたどり着きます。たとえば東京電力は、米国や英国で生き残れただろうか。答えは明確にNOです。日本は低リスク・低リターンのメンタリティをいつまで持ち続けるのでしょうか。高リスク・高リターンに意味があります。高いリターンを指向するモデルは、あらゆるステーク・ホルダー（株主、債権者、仕入先、販売先、従業員等）から格段に厳しい企業経営の検証が行われるということです。これこそが日本にいますぐ必要な構造改革です。現在の日本のシステムは、日本という他国との距離を保ち続ける経済でしかうまくいかないものなのです。

（Mr Yuuichiro Nakajima, Managing Director, Crimson Phoenix Ltd.; Director, J.P.Morgan Japan Smaller Companies Trust plc.）

§5.7　ディスカッション

ウォーレン（議長）：日本のコーポレート・ガバナンスと行動規範改革について、佐藤理事長のスピーチとSession 1で、日本の現状と課題、Session 2では日本社会のマインドセットや行動様式にまで視野を広げ、Session 3ではOECDでも専

門の委員会で基準改定に向けた議論が行われるなど、世界が直面している課題について議論してきました。残された論点があれば、あげてください。

会場参加者：東京市場を活性化しニューヨーク・ロンドンに並ぶ金融センターを目指すという目標は以前にも掲げられてきましたが、現実には成功していません。そもそもなぜ日本は金融センターを目指すのでしょうか、なぜ必要なのでしょうか。威信（prestige）のためなのでしょうか。

中島：安倍内閣が東京をアジア地域最大の金融センターにしようとする理由には、東京の威信の高揚、日本経済の規模に見合うステータスの確保、金融分野における大きな収益のポテンシャルがあると思います。

佐藤：東京市場の活性化は内外の資産保有者に多様な資産運用の機会を提供し、内外の資金調達者に十分なファイナンスの場を提供しようとするものです。これは、日本経済の成長を支えるためにも必要ですし、アジアの発展に寄与する意義も大きいものがあります。日本が少子高齢化と人口減少に直面し、製造業のグローバルな競争力も試練にさらされているなかで、東京市場での活発な金融取引は、そこで生まれる付加価値が日本のGDPに貢献し、産業分野としての金融業が製造業の相対的なウェイト低下を補うという面もあり、切実な課題です。

会場参加者：ウッドフォード氏に質問します。もう一度オリンパスでチャンスがあったら、どのようなことを変えたいで

すか。

ウッドフォード：まず、これまでの議論を聞いて、東京市場がアジアナンバーワンになろうとか、ニューヨーク、ロンドンと並ぶ金融センターになるという話がありましたが、これらは馬鹿げた話（ridiculous）であると考えます。おそらく香港かシンガポールがアジアナンバーワンになるほうが現実的です。

次に、私がオリンパスで何をしたいかについてですが、日産のカルロス・ゴーン氏のように、コスト削減策を思い切り実行するでしょう。儲かっていない工場などはどんどん閉鎖し、成長している事業に注力すると思います。

ところで、日本は30歳台の未婚女性がいちばん多い国だといわれています。日本は世界でいちばんの男性優位主義国で、現実の問題として、中間管理職に有能な女性の人材が不足しています。とにかく日本にはまともなコーポレート・ガバナンスはなく、あらゆる面で著しく遅れています。

会場参加者：現政権下では、中小企業に対する取組みや対策が不足しており、これも日本の経済の足を引っ張っている要因の1つではないでしょうか。

§5.8 議論・研究成果

§5.8.1 総　括

チャタムハウス国際経済部　部長　パオラ・サバッキ

　この研究討論会Ⅲは、ロンドン大学東洋アフリカ研究学院（SOAS）の会場をお借りし、企業の統治方式から、文化に根ざした、会社、家庭、地域社会の行動様式に至るまでさまざまな観点から、コーポレート・ガバナンスと行動規範改革によって、国際競争力や投資家の信任を得られるかについて議論してきました。特に2020年東京オリンピック・パラリンピックに向けて、国をオープンにし、2011年の東日本大震災の時に焦点が当てられた、国際的な連帯と連携の価値が高まることを期待しています。

（Dr Paola Subacchi, Research Director, International Economics, Chatham House）

§5.8.2 チャタムハウスの研究成果と世界の協和共栄への実践研究

　日本復活を本物にする鍵として、チャタムハウス所長が最初にあげたのが、日本のコーポレート・ガバナンスと行動規範改革でした。研究討論会Ⅰの金融センターか否か、研究討論会Ⅱの医療・医薬品等市場、研究討論会Ⅳのインフラ投資・市場が

国際競争力をもつか否かは、世界で投資決定する企業・団体のリーダーたちが日本の市場や経済社会をどうみているか問題意識や見識などをいかにとらえ、彼ら／彼女らの頭のなかで整理されている世界に受け入れやすく情報発信ができるか否かにかかっており、これは企業・団体、国、地域社会、家庭、学校等のリーダーの役割そのもので、これを各団体がどう支え・是正するかというガバナンスの問題そのものでもあるからです。

　国際化・グローバル化が言われ出して、すでに半世紀近くが経っていますが、英米ヨーロッパがつくってきたガバナンスやルールを基本に、まったく違った歴史・文化をもつ各国の行動様式・規範等に変化している市場・ビジネス環境の外国や外国企業に日本人が飛び込んだり、逆に、外国人が日本市場や企業に入ってきたりする必要が、多国籍企業でなくとも中小企業から個人まで求められる時代となり、その行動様式・規範やガバナンスが日本の国際競争力に大きく影響を与えるようになっています。日本人の行動様式・規範まで、一から抜本的に変えるべきとの議論も諸外国ではみられますが、何のために変えるか、変えずに守るか、グローバルな競争が展開されるなか、日本人の生活を支えていくためには国際競争力を維持・向上させることが不可欠で、その目的のため必要最低限かつ効果的・実践的な変化が求められています。その現場は企業等のビジネスの場が中心となりますが、そうした会社と家庭、これらのプライベートな世界と地域社会、国などパブリックな世界の間のバランスも、日々豊かに快適に生活できる国、地域社会、会社、

家庭をつくり、将来世代の子どもたちに引き継ぐために、議論することが重要です。以下では、そもそも企業の目的が利潤・利益をあげ、株式会社の場合、株主に還元することにある点に着目した企業の統治方式・行動様式の議論と、従業員や消費者、社会に対する責任がある点に着目した、会社、家庭、地域社会の行動様式の議論とに分けて整理しながら、実践研究へと話を進めます。

世界に開かれた競争力ある企業の統治方式・行動様式

　日本のコーポレート・ガバナンスと行動規範改革として、日本のガバナンスのよい点はいくつもありますが、世界に開かれた競争力あるガバナンスかという点で、いくつかの問題が指摘されています。日本政府はアベノミクスで、日本の実体をふまえつつも、日本のガバナンスをより英米アングロサクソンの基準に近づけようとしています。日本政府は、コーポレート・ガバナンスについて、法改正をして改革し、日本版スチュワードシップ・コードを導入して、機関投資家が企業のステークホルダーに対して透明性と説明責任を信頼上の責任として果たすよう求めるなどしています。西欧諸国でも、EUの2012年12月の活動計画に透明性の確保とコーポレート・ガバナンスのための必要な一連の情報を定めました。こうした事実に基づき、アベノミクスの成長戦略としてのコーポレート・ガバナンス改革、上場企業のコーポレート・ガバナンス強化、日本取引所グループの自主規制、日本の強固なガバナンス構造の何を変え何を守

るか、よいガバナンス体制とよい投資との違い、投資決定に必要なオープンなガバナンスなどについて議論がされ、以下の指摘がされました。

① OECDがコーポレート・ガバナンス基準を改定しているように、特にリーマン・ショック後、世界が改革を行っている。

② ガバナンスだけでなく、企業価値や資本効率、国際競争力を高めるとの視点が重要。

③ マクロだけでなくミクロの問題、たとえば、日本の投資家はリスクをマネッジしてとることをしない、環境や社会への貢献の視点が低い点も重要。

④ 日本では企業、投資家その他のステークホルダーの間で、1980年代にはあった何がよいガバナンスかの合意がなくなってしまっている。

⑤ 日本は効率的・効果的なガバナンス構造をもっているわけではなく、研究討論会Ⅲで議論したアベノミクスの第三の矢の改革が必要である。

⑥ よいコーポレート・ガバナンスは、国際競争力を高めるもの。

利潤を生む企業の統治方式としてのコーポレート・ガバナンスにはM&A等エクイティを含めて市場原理と一貫したルール・ブックが必要です。しかし、世界には歴史や市場慣習の違いから、米国型ガバナンス、欧州型ガバナンス、日本型ガバナンスなどあり、OECDがコーポレート・ガバナンス基準を改

定しています。日本は現状、米国型＋日本型のガバナンスをもっているといわれていますが、さまざまにうまく機能していない面があり、アベノミクスが試みているように、市場慣習の近い、欧州型＋日本型がうまく機能するか検討してみることも重要です。

世界に開かれた競争力ある会社、家庭、地域社会の行動様式

　日本全体が、2020年の東京オリンピック・パラリンピックに向け、世界に開かれた競争力ある企業の統治方式、会社、家庭、地域社会の行動様式を目指して試行錯誤を始めています。利潤を生む企業の統治方式としてのコーポレート・ガバナンスとしては、資本市場の新陳代謝機能を働かせるべきとの視点がありますが、企業が従業員や消費者、社会に対する責任がある点に着目すると、その透明性確保のためには、民主主義を支えるメディアやジャーナリズムの健全な批判機能が不可欠となります。また、日本のガバナンスのよい点として、従業員一丸となって国際競争力を支える、日本の企業文化や企業理念の強みが指摘できますが、他方、会社で老若男女それぞれが能力を最大限生かして活躍できているか、人的資本の活用という点での課題も指摘されました。アベノミクスが強力に推進している女性の活躍推進や企業の社会的責任と社会的責任投資、子育てやボランティアなど家庭や社会での役割を評価する人材育成、人材開発・教育投資は、英米欧企業に比べて不足している面があります。

会社、家庭はプライベートな場、地域社会などはパブリックな場ですが、日本では、高度成長時代は特に会社がパブリックな場としての認識が強く、従業員が地域社会でのボランティアを行うことを評価したり、企業自身が社会的責任投資を行うことが少なかったところ、2011年3月11日の東日本大震災の復旧・復興に際して、ボランティア活動で、特に女性のリーダーシップで輝いたり、2020年の東京オリンピック・パラリンピックに向け、2012年のロンドンオリンピック・パラリンピックのように全国からのボランティアが支える体制をつくったりする必要が出てきています。他方、2014年4月からハーグ条約が発効し、国際的なヒトの移動がより自由になるなかで、外国人、女性・男性、子どもの人権の観点から日本の家族や親子のあり方、地域・学校のあり方も世界的に議論する必要に迫られています。

会社で女性が働き、家族や地域社会・学校で男性が育児する自由のない社会

　アベノミクスは、プライベートなはずがパブリックと思われ、男の世界・社会だった会社、そしてパブリックな社会での女性の活躍を強力に推進しています。他方、プライベートな家族やパブリックな地域・学校は、逆に女の世界・社会で、その基本単位となっていた夫婦と核家族において、女性は、夫婦それぞれの両親の介護、夫婦の間の子育てを、高度成長時代を中心に、一手に担ってきました。しかし日本の高度成長が終わ

り、男性がフルタイムで働けず、働けても勤務時間や給与が縮小されるなか、男性の働きのみで家族すべてを養うことが困難となり、家計に女性の働きが求められるのに、法制度や社会は女性に男性と同じように働く自由や権利を保障せず、介護・保育施設が不足し、家族や地域・学校では依然として女性のフルタイム専業を求めます。女性の自由や男女平等がない制度を放置するのは民主主義国といえません。逆に、男性が勤務時間や給与が縮小された分、その女の世界・社会で子育てしようとしても、法制度や社会は男性に女性と同じように子育てする自由や権利を保障せず、夫婦や核家族が変化したのに会社・社会制度が対応しないしわ寄せが家族に集まり、日本の離婚率・自殺率はOECD諸国のなかでも急上昇し、特に離婚してしまうと、単独親権制度のもと、男性は男であるだけの理由で子どもの親権を奪われ、親権があっても監護権を奪われ、先進国では子どもと1〜2週間会えなければ児童虐待同様に公権力が介入して親子関係を保持する制度があるのに日本にはなく、行政も司法も実の親子が1〜2カ月、1〜2年間会えなくても男性や子どもに我慢を強い、地域社会や学校でも男性を保護者として扱わず、親子分離・親子崩壊を放置しており、男性や子どもの基本的な人権、男女平等がない事実が、2014年4月のハーグ条約発効を機に明らかとなっています。子どもにとってみると、双方の親からの養育の機会を国から制約されるため、日本で離婚後に養育費を受け取れる子どもの割合はわずか2割で、この割合はもう15年以上も変わっていません。面会交流が満足にで

きないこともあり、これらは、母親の側が加重な養育負担を負う結果につながり、同時に子どもの貧困や虐待の背景にある大きな原因となっています。これで日本はアジアで最初の民主主義国と胸を張れるのでしょうか。日本が復活を本物にし、アジア太平洋のリーダーであり続けるためには、このような世界や他国、そして自国からの批判や反対意見、不都合な真実から逃げず、チャタムハウスに集う英国紳士・淑女のように、独立した聖域なき議論を行い、世界の違った考えや経験を取り入れ、法制度や経済社会を常に変化させていく、懐深い、大人の国である必要があるのではないでしょうか。

(注)
・共同親権運動ネットワーク（ｋネット）
（http://kyodosinken.com）
「離れていても家族でいたい　離婚後の共同養育・面会交流をもっと自然に」

・月2回以上（うち1回は宿泊付き）＋年20日の面会交流調停（東京家庭裁判所2010年10月22日）反故容認の実態
（http://kyodosinken.com/2013/09/11）
「こうした親子引離し行為を放置・助長している、日本の家事司法制度の問題点として、同居親による面会交流の妨害の容認や保全処分の機能不全に加え、間接強制による強制執行制度の科学的合理性のない執行基準と機能不全があります」

・おそれていた最悪の事態、文京区焼身自殺事件
（http://kyodosinken.com/2013/12/24）
「父親の側からみれば、裁判所に行って、調停で親権を得るのも、十分に子どもの養育にかかわるのも、現状ではまったくできず、子どもの周囲からも危険人物扱いされているので、絶望する」

・学校・園による別居親の法的根拠もない門前払いを止める署名・要望書の文部科学省への手交（2014年3月21日）
（http://kyodosinken.com/2014/03/21）
「1　園や学校へのかかわりを制約する取決めや法的措置がない場合、双方の親が学校からの配布物をはじめとした連絡事項を受け取れるように、園や学校に周知してください。
2　同様に、子どもと離れて暮らす親が園や学校行事に参加することを不当に制約してはならないことを、園や学校に周知してください」

・ハーグ条約と官公庁、弁護士会の対応、日米同時行動（2014年4月1日）（http://kyodosinken.com/2014/04/06）
「アメリカでは子どもを日本に連れ去られたケースが400件以上にのぼるということで、議会下院では返還に応じない国に対し、制裁を科す法案が可決されるなど対応を促す動きが強まっています」

・日本人どうしの日本での面会交流事件、イギリス中央当局が動く（2014年6月18日）（http://kyodosinken.com/2014/07/04）
「貴方の事件が現時点から進められるスピードや方法は、完全に日本国内の手続き次第です」

・AMNESTY INTERNATIONAL アムネスティ日本
（http://www.amnesty.or.jp）

・REUNITE INTERNATIONAL Keeping open a window of hope（http://www.reunite.org）

人々のマインドセットや行動様式

　日本の会社、家庭、地域社会において、人々のマインドセットや行動様式として、民主主義のもと、チームワークに基づく

統治（Govern）が行われているか、特定の人の支配（Control）が行われ、人々はこれを支えたり、あるいは是正したりせず盲従し、少しでも問題や気に入らないことが起きれば、人間は間違うものとの人間的な最低限の慈悲もなく、人間性を含めて批判し尽くしていないか、リーダーを支えず、リーダーの足を引っ張ってばかりいないか、一度家庭や地域が崩壊すると、親子やコミュニティ、友人関係を回復させ保護する法制、欧米における教会やチャリティの活動、地域社会の担っている役割がなく、崩壊したままになってしまっていないか、アジア発の民主主義国として、世界や他国の批判や反対意見、不都合な真実から逃げず、国民の間で独立した聖域なき議論を行い、世界の違った考えや経験を取り入れ、経済社会を常に変化させていく必要があります。これは外国人が住みやすいか国かどうか以前に、私たち日本人、またその子どもたちが住みやすい国かという問題です。

　英国の指導者となっている紳士・淑女は、自分の意見や意思決定は間違うもので、会社、家庭、社会、国や世界で100％通用するものでないことを前提に、常に後悔や孤独を抱えつつ、国や世界の将来や運命を決する決断を行っています。このような指導者は、批判や反対意見、不都合な真実を知り、世界の違った考え方に基づく意志決定や経験を知るために、チャタムハウスに会します。日本が復活を本物にし、アジア太平洋のリーダーであり続けるためには、世界や他国の批判や反対意見、不都合な真実から逃げず、独立した議論を行い、世界の違った考

えや経験を取り入れ、経済社会を常に変化させていく、懐深い、大人の国である必要があるのではないでしょうか。

世界に開かれた会社・家庭・社会の新たな役割

　チャタムハウスは2014年8月31日名古屋において、第9章で述べるCIIE.asiaと共催で、「日本復活を本物に：国際競争力〜変化するアジアでの日本の（産官学の）新たな役割〜（THE 'RETURN' OF JAPAN：JAPAN'S NEW ROLES IN CHANGING ASIA）」と題するパネルディスカッションを開催します。そのSession 3で、変化するアジア太平洋における日本の企業・社会の新たな役割を考えるなか、特に、研究討論会Ⅲ「日本は世界に開かれた会社・家庭・社会をもてるか」について、研究討論会Ⅱ「日本は高齢化のチャレンジをチャンスにできるか」で議論した潜在成長力を支える研究開発における資金・人材面での産学連携の必要性と企業の新たな役割を核として、社会的責任（CSR）投資、子育てやボランティアなど家庭や社会での役割を評価する人材育成、会社で老若男女それぞれが活躍できる人材開発・教育投資の必要性について、チャタムハウス実践研究として、英国そしてアジアの視点から、日英の知の国際交流をする研究討論会パネルディスカッションを行い、日本復活を本物にする鍵に関する議論のアップデートを行います。

　2011年の東日本大震災では、国際的な連帯と連携の価値に焦点が当てられました。また、日本のコーポレート・ガバナンスと行動規範が変わるか否かは、国をオープンにし、特に2020年

東京五輪に向けて、ロンドン五輪の経験など、外国の資本や経験を生かす必要があります。その２日後の2014年９月２日、チャタムハウスは東京で、CIIE.asiaと共催で、東京五輪に向け「東京五輪に向け日本復活を本物に／日本の魅力『おもてなし』世界戦略～東日本大震災に対する世界の支援の『お返し』として～日欧の対話」と題して、大きくロンドン五輪での経験、震災からの復旧・復興におけるボランティア活動と今後の防災等への取組みと、ロンドン同様、東京を一過性にしない日本の魅力「おもてなし」世界戦略とに分けて、研究討論会パネルディスカッションを行い、ヨーロッパ・英国との対話から、大震災からの復興・防災、東京五輪を目標とした日本復活の本格化に向け、日本経済社会は世界といかに協働し、世界に発信・貢献し、これを日本の国際競争力強化につなげていくかについて議論のアップデートを行います。

　その後、CIIE.asiaと共催で、第８章のブリュッセルでの研究討論会パネルディスカッションを行うなど、日欧の対話、日英の知の国際交流を行い、アジア太平洋・日本での情報発信の場、チャタムハウスにとっての情報収集の場をつくり、アジア・日本の情報発信力と求芯力強化の一助となるよう、実践研究を続けていきます。

第6章

研究討論会Ⅳ
日本は世界に投資・貢献し世界の投資を呼び込めるか
——日本・ヨーロッパのインフラ投資と成長戦略／
世界への投資・貢献、世界からの投資の呼込み、
世界と日本の雇用、技術革新等への貢献

§6.1 世界の課題として投資、特にインフラ投資を議論する

PPP／PFIを生んだ英国のインフラ投資と日欧との違い

　英国と大陸ヨーロッパでは、世界や政治経済に対する考え方がかなり違いますが、世界戦略や改革の必要性についての見方も違います。チャタムハウスは英国のシンクタンクで全世界に会員がいますが、ロンドンを拠点にしている人が多く、英国人でなくても英国的なものの見方をする参加者が多く、一連の研究討論会も、金融、医療・医薬品等、コーポレート・ガバナンス、インフラ投資と、関心の高い順に並べました。しかし大陸ヨーロッパで関心が高いのはちょうどこの逆で、インフラ投資がいちばんです。私たち国際経済チームでも欧州のインフラ投資の促進についての研究討論会を開催していますが、英国での反応は、そもそもインフラは歴史的蓄積そのもので、使えるものは大事に使い、改修や運用の工夫を重ね、なお不可欠なインフラはやむをえず段階的に整備していこうという発想です。また歴史的に、産業革命時に貴族＝資本家が運河や鉄道などインフラを整備して家紋を付し、女王がこれを評価して勲章等を与えるといったように、国ではなく民間の資本家が主体となって整備されてきました。これが民間を最大限入れて市場をつくり、価格を決め運用していくというPPP／PFIを生み育てた考え方の土台となっています。大陸ヨーロッパの考え方は日本に近く、インフラ投資を経済の成長戦略としてとらえる考え方も

あります。ただし、必要性や環境評価などを厳しく調査するのは英国と同じです。

　それでは何が日本のアベノミクスの鍵となり、英国の取り組むPPP／PFIや電力市場改革、ヨーロッパが取り組むインフラへの対内・対外投資の論点と比較して問題の所在はどこか？日本企業や社会は、真に必要なインフラを整備し、国際競争力をつけ、海外にパッケージでインフラを輸出・投資し、同時に、東日本大震災を経た日本国内へのインフラ投資、エネルギー、資源、環境、食糧、東京オリンピックへの投資等を活性化し、日本の競争力強化と世界の経済社会を実現できるのか？研究討論会Ⅳで議論します。

日本は世界に投資・貢献し世界の投資を呼び込めるか

　日本政府は、インフラ事業を比較的長期にわたりファイナンスする仕組みとして、また、民間投資の呼び水として、財政投融資や政策投資銀行、JBIC等の機能を活用した多様なメニューを用意しています。インフラの必要な分野として、高速鉄道、道路、LRT（Light Rail Transit）地下鉄等鉄道、水道、下水、再生エネルギー、石炭火力・天然ガス発電、原発、送電線等、スマート・シティ事業などがあります。鍵となるインフラ事業を促進するため、日本は英国のPFIの経験に基づいて1999年にPFIを導入しました。現在は大震災後の復興、2020年のオリンピック・パラリンピックに向けた迅速なインフラ整備が課題となっています。日本はPFIの経験を十分積んでおり、PFI

は長期の持続可能な成長にも重要な役割を果たすでしょう。政府は電力市場改革も、英国政府が行ったように進めており、環境の持続可能性をふまえて戦略的に考えられています。

　研究討論会Ⅳでは、日本における新たな投資とファイナンス機会についても、英国と比較しながら議論します。規則を単純化し、規制の障害を緩和し、民間セクターを巻き込むイニシアティブも行います。2020年東京オリンピック・パラリンピックに向けたチャンスとチャレンジについても、2012年ロンドンオリンピックの経験に基づいて議論しました。インフラ支出は29億ポンドに達したと試算されています。一方、大和総研の試算では、オリンピックの経済効果はGDPの0.3％程度と見込まれています。ロンドンオリンピックの経験から、改革と最大限のオリンピック関連投資が潜在経済成長率を上げる鍵となっており、これは日本政府と民間投資家の主要課題となっています。

図表6－1　研究討論会Ⅳのアジェンダ

Roundtable Ⅳ：
Investing in infrastructure and boosting growth in Japan and Europe

Tuesday 8 April, Henry Price Room
Chatham House, 10 St James's Square, London SW1Y 4LE

Agenda

Opening remarks
Robin Niblett, Director, Chatham House

Keynote speech with Q&A
Toshiro Muto, Chairman, Daiwa Institute of Research; former Administrative Vice-Minister of Finance, Ministry of Finance, Japan

Session 1 **Raising capital for new investment in domestic and international infrastructure: re-define and re-design PFI／PPP based on best practice, to meet post-earthquake revival investment needs, disaster prevention projects, development of new industries and investment for the Olympics**

Chair: **Thierry Déau**, Chief Executive Officer and President, Meridiam Infrastructure

Discussants:
Douglas Segars, Head, Infrastructure Finance, Infrastructure UK, HM Treasury
Jean-Serge Boissavit, Overseas Director, VINCI Concessions (France)
Deborah Zurkow, Chief Investment Officer and Head, Infrastructure Debt, Allianz Global Investors
Jan-Willem Ruisbroek, Senior Portfolio Manager, Infrastructure, APG Asset Management
Shigefumi Kuroki, Senior Vice President, Structured Finance Department, Development Bank of Japan

Session 2 **Investing globally: Do Japan's instruments and institutions have competitive advantage in meeting the needs of Europe and the rest of the world?**

Chair: **Sir Graham Fry**, KCMG, British Ambassador to

Japan (2004-2008)

Discussants:
Toshiro Machii, Executive Officer, EMEA, Japan Bank for International Cooperation
Toshiaki Sakatsume, Infrastructure Boniness Group, European Bank for Reconstruction and Development
Haruki Hayashi, Regional CEO, Europe & Africa, Mitsubishi Corporation, Managing Director, Mitsubishi Corporation International (Europe) Plc.

Session 3 **Investing in Japan: the attractiveness and openness of Japan for infrastructure projects including electricity market reform, opportunities for the Europe-Japan Economic Partnership Agreement, the Trans-Pacific Partnership, the Olympics, and uncompetitive industries including agriculture**

Chair: **Jason James**, Director General, Daiwa Anglo-Japanese Foundation

Discussants:
Jun Arima, Director-General, JETRO London
Hosuk Lee-Makiyama, Director, European Centre for International Political Economy
Keiichiro Komatsu, Principal, Komatsu Research & Advisory
James Harris, AMEC Strategic Programmes, Clean Energy Europe
Philip Howard, Co-founder, GR Japan K.K.

Closing remarks

> **Jason James**, Director General, Daiwa Anglo-Japanese Foundation

§6.2 開会の辞——投資と投資家の機会を増やし国際競争力のある成長モデルに

チャタムハウス　所長　ロビン・ニブレット

　チャタムハウスでは、2013年6月の安倍首相の「日本復活」のスピーチを皮切りに、日本のアベノミクスの鍵は何か、ヨーロッパが取り組む構造改革の論点と比較して問題の所在はどこか、日本企業や社会は真に国際競争力をつけられるかについて、これまで3つのテーマで議論が行われ、今日は最後のテーマである投資、なかでもインフラへの投資について議論します。

　アベノミクスと呼ばれる日本の経済政策の文脈で、インフラは、投資と投資家の機会を増やす非常に興味深いテーマです。東日本大震災後の復興、クリーンなエネルギーから2020年東京オリンピック・パラリンピックに至るまで、日本の経済社会はいま、古くから続き、もはや国際競争力のある成長モデルになりえないような部分を投資によって変えていく必要性に迫られています。

　今回の研究討論会は日本から大和総研理事長、元財務省事務次官で、2020年東京オリンピック・パラリンピックの事務総長に就任された武藤敏郎理事長をお招きして、インフラ投資についての議論を開始し、日本内外のインフラ投資のPPP／PFI等

の資金調達、対外インフラ投資の融資、オリンピック等対内投資の呼込み等について議論をします。

（Dr Robin Niblett, Director, Chatham House）

§6.3 基調講演

大和総研　理事長　武藤敏郎（元財務事務次官）

日本経済は、1990年の資産バブル崩壊後、長らく低迷を続けました。1990年代後半から消費者物価が緩やかに下落し、賃金も下落基調となり、昨年（2013年）前半までデフレ的状況にありました。2012年12月、自民党の安倍政権が誕生しました。安倍首相は、ご承知のとおり、日本経済を再生するため3本の矢、すなわち大胆な金融政策、機動的な財政出動および構造改革などの成長戦略を打ち出しました。いわゆるアベノミクスであります。その結果、日本経済は、昨年春から回復しつつあります。その状況を少し詳しく述べてみたいと思います。

アベノミクスによる日本経済回復の現状と見通し

まず市場がアベノミクスに対してポジティブな反応を示しました。第一に、この1年間に株価が約50％上昇しました。個人金融資産は30兆円あまり増加したことになります。これはGDPの約6％に相当します。第二に、円レートが1ドル80円程度から100円台の水準まで低下しました。円安によって輸出関連の大企業製造業の収益は、大幅に改善しました。企業のセンチメントは改善し、久しぶりに賃金の引上げを行いつつあり

ます。

　このような市場の反応に比べて、実体経済の回復は、まだ力強さが足りません。個人消費については、株価上昇による資産効果や雇用者所得の増加によって、足元堅調に推移しています。この背景には、本年（2014年）4月から消費税が5％から8％に引き上げられたため、その直前1～3月期の消費が駆込需要によって押し上げられたことがあります。一方、4～6月期の消費がその反動でかなり減少するのではないかと懸念されています。7～9月期には回復することが期待されていますが、どの程度回復するかは明らかではありません。また、円安によって輸出金額は増加していますが、輸出数量はあまり増加していません。鉱工業生産は増加していますが、まだ設備投資の増加には結びついていません。今後、円安によって輸出数量が増加し、鉱工業生産の持続的な増加に伴い設備投資が増加するかどうかが、景気回復の鍵となります。ただし輸出数量が増加するかどうかは、為替レートばかりでなく、海外経済の動向に依存する面もあることには留意する必要があります。

　次に、大和総研による日本経済の見通しを申し上げます。実質成長率の見通しは、2013年度2.3％、2014年度1.0％、2015年度1.5％です。2013年度の成長率は、先に述べたとおり消費税引上げによる駆込需要によって押し上げられ、2014年度はその反動によって押し下げられます。しかし、ならしてみれば1％台後半の緩やかな成長を続けるでしょう。消費税引上げによって景気回復が腰折れする可能性は低いとみています。

日本経済の課題

次に日本経済の課題について申し上げます。

第一は、消費税の引上げと財政赤字の問題です。消費税については、2015年10月からさらに2％引き上げて10％とすることが予定されています。予定どおり実行するかどうかは、2014年12月に経済状況をみて首相が決断することになります。日本の財政赤字は深刻な状況にあります。また高齢化の進展による社会保障支出の増大に対処するためにも、消費税の引上げは不可避であると考えられます。一方、さらなる消費税の引上げによって景気が腰折れするのではないかと心配する政治家やエコノミストもいます。消費税を10％に引き上げるかどうかは、財政政策における今年の最大の課題といってもよいでしょう。

第二は、量的金融緩和政策の今後です。日本の消費者物価は昨年前半まで、マイナス領域にありました。このようなデフレから脱却するため、日本銀行は2013年春、2年程度をメドに、すなわち2015年春頃までに消費者物価を2％にすると表明し、従来の2倍に相当する大幅な量的金融緩和政策を打ち出しました。これによって市場がポジティブな反応をしたことは前述しました。デフレ脱却も実現しつつあります。足元の消費者物価上昇率は1％台半ばです。しかしその約半分は円安による輸入品価格の上昇、すなわちコストプッシュ型の輸入インフレであるとみられます。仮に円レートが現状のまま推移するとすれば、やがて輸入インフレは剥落するでしょう。そうなると2015年春頃までに消費者物価2％を達成することができない可能性

があります。その場合には日本銀行は、さらなる量的金融緩和を行うかどうかの判断を迫られます。現在、日本銀行は、毎月発行される国債の70％程度を購入しています。国債の購入をさらに増加することの是非が問われるでしょう。実体経済の回復により需給ギャップが改善し、健全な物価上昇により目標を達成できるかどうかが課題です。

　第三は、構造改革です。日本の生産性を引き上げ、持続的な経済成長を実現するためには、構造改革の推進が不可欠です。アベノミクス第三の矢である構造改革は、まだ成果をあげていません。政府は6月に構造改革案を発表する予定です。どのような構造改革が発表されるのか、そしてどの程度実現されるのかに関心が集まっています。

（Mr Toshiro Muto, Chairman, Daiwa Institute of Research;
former Administrative Vice-Minister of Finance,
Ministry of Finance, Japan）

質疑応答

ジェイムズ（Jason James、大和日英基金事務局長）：消費税率をさらに2％上げられると思いますか。また大和総研ではこれを前提に試算していますか。消費税率引上げのインパクトを控除してもインフレ目標2％は達成可能と思いますか。

武藤：安定した経済状況を実現するため、多くの改革が途上です。この目標に向けた諸改革のなかに、2015年10月に消費税率をさらに2％引き上げて10％とすることが含まれてい

ます。安倍首相は2014年12月頃、消費税を10％に引き上げるかどうかの最終判断をすることとなっています。もし引き上げないとなると、今後いつ引き上げるのかなど、政治的にむずかしい議論が始まります。また、格付会社が日本国債の格付を引き下げる可能性があり、そうなると、長期金利など市場に悪影響を与え、インフレ目標２％も達成困難となり、ようやくみえてきた実体経済の回復傾向に水を差す危険性があります。なお、大和総研の経済見通しは2015年10月の消費税引上げを織り込んでいます。

ディングリー（Anna Dingley、英国貿易投資総省日本・韓国市場スペシャリスト）：アベノミクスは成功すると思いますか。

武藤：アベノミクスが成功するか否かは、第三の矢が、安定した経済状況実現や実体経済の回復に寄与するかどうかにかかっています。構造改革は、その成果が中長期的に現れるため、実体経済の回復にただちに成果がみられないかもしれませんが、新たな経済状況を持続可能にするには必要不可欠なものです。安倍内閣では、農業や、医療・介護サービスなどの高齢化関連産業、労働市場改革、FTAやTPPも構造改革のメニューに入れています。

ハワード（Philip Howard、GR Japan共同設立者）：法人税率の引下げをするにあたり、財源を確保するために欠損金繰延べを縮小する、または利用に制限を課す検討が政府内で進んでいると聞いています。対日直接投資に悪影響のおそれがあるので、優遇措置を撤廃したほうがいいのではない

でしょうか。

武藤：日本の現在の法人税の表面税率35％が他国と比べ高いことは事実です（2013年のEU27カ国の平均法人税率は23.5％）。他方、法人税が優遇措置等で複雑な仕組みとなり、実際に法人税を支払っている企業が非常に少ないのも事実です。財政状況が悪いことも看過できない厳しい事実であるなか、法人税率引下げの代替財源として、所得税を上げるのか、消費税をさらに上げるのか、法人の優遇措置等を撤廃して課税ベースを広げるのか、こうした国民的議論が必要です。

　また、アベノミクスの第三の矢で説明されているように、減税だけが日本経済を活性化する方法ではありません。日本には、単純に規制緩和が必要な業種がたくさんあります。でも過去、これが日本の経済社会に受け入れられるのが政治的に困難であったのも事実です。

有馬（有馬純、JETROロンドン事務所長）：原子力発電所の再稼動の遅れによる貿易赤字や日本経済への影響を、どう試算していますか。

武藤：われわれの見通しでは、原子力発電所の安全が確認されたものから再稼動されるという前提になっています。他方、新規立地は政治的に困難なので想定していません。40年で廃炉となることから、原子力発電はいずれゼロとなります。言葉を変えれば40年間の猶予があることになります。原子力発電が一気になくなれば、高い化石燃料を買う必要

が生じ、輸入価格上昇によって貿易赤字が深刻になりますが、与えられた期間に、日本経済へ悪影響が出ないよう、今日議論されるクリーン・エネルギーの可能性を含めてエネルギー構成をシフトしていくことが重要だと思います。

最後に、アベノミクスの第三の矢、構造改革は短期的な経済成長にはつながらないと考えています。現内閣が始めた改革の成果が必ず同じ内閣で得られるわけではありません。長期間じっくり腰を据え、日本とその将来のため、日本が世界に貢献できるために取り組まなければならない、困難ですが非常に重要な改革です。

§6.4 Session 1：我が国のPPP／PFI市場活性化に向けての示唆

ベスト・プラクティスに基づくPFI／PPPの再定義・再構築、震災後の復興投資ニーズにあう防災事業、オリンピックに向けた新産業・投資

§6.4.1 我が国のPPP／PFI市場の特徴と潜在的可能性
日本政策投資銀行　ストラクチャードファイナンス部　課長
黒木重史

初めに、本セッションにおける議論の前提として、日本におけるPFIの歴史と、日本におけるインフラ投資に対する潜在的なニーズについてご紹介します。

図表 6 − 2　日本におけるPFIの沿革

PFI History in Japan

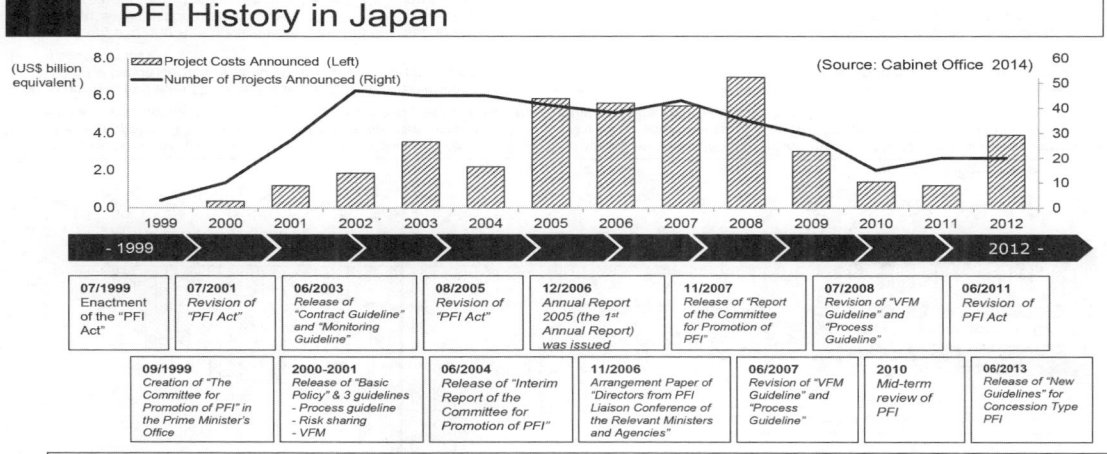

(Source: Cabinet Office 2014)

07/1999	Enactment of the "PFI Act"
09/1999	Creation of "The Committee for Promotion of PFI" in the Prime Minister's Office
07/2001	Revision of "PFI Act"
2000-2001	Release of "Basic Policy" & 3 guidelines - Process guideline - Risk sharing - VFM
06/2003	Release of "Contract Guideline" and "Monitoring Guideline"
06/2004	Release of "Interim Report of the Committee for Promotion of PFI"
08/2005	Revision of "PFI Act"
12/2006	Annual Report 2005 (the 1st Annual Report) was issued
11/2006	Arrangement Paper of "Directors from PFI Liaison Conference of the Relevant Ministers and Agencies"
11/2007	Release of "Report of the Committee for Promotion of PFI"
06/2007	Revision of "VFM Guideline" and "Process Guideline"
07/2008	Revision of "VFM Guideline" and "Process Guideline"
2010	Mid-term review of PFI
06/2011	Revision of PFI Act
06/2013	Release of "New Guidelines" for Concession Type PFI

- The PFI Act was enacted in 1999. As of March 31, 2013 (since inception), 418 projects were announced with the aggregate project costs (including estimated lifecycle O&M costs) of approx. US$42.5 billion equivalent JPY. *(Note : calculated as being 100 JPY equals to 1 USD)*
- Roughly 75% of PFI projects have been administered by local governments, and the remainders have been administered by central government and other public entities.
- PFI transactions in Japan have been limited mainly to the construction and financing of public assets, with a limited scope of service provision, and Build-Transfer-Operate (BTO) scheme is most commonly used in Japanese PFIs, which accounts for roughly 70% of all PFI projects.
- The PFI Act was further amended in June 2011 to allow the government to grant concession rights to private operators for them to manage facilities and collect service fees from users (Concession Type PFI).

図表 6 − 3　日本におけるインフラファイナンスの推移

Infrastructure Financing Needs and Opportunities in Japan

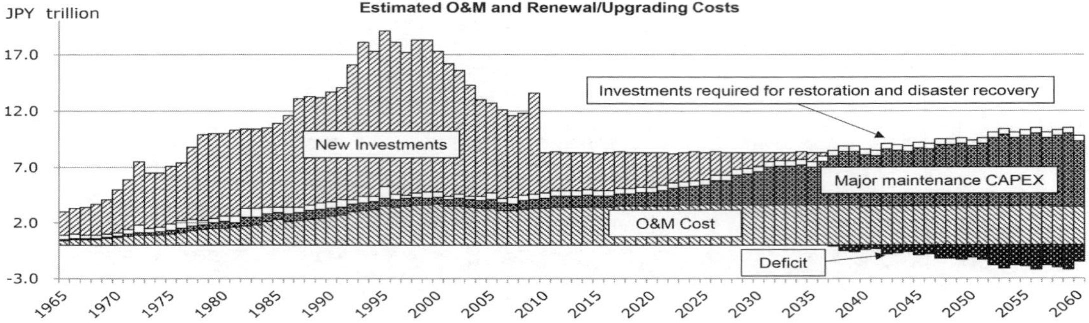

Estimated O&M and Renewal/Upgrading Costs

(Source: MLIT White Paper 2010)

- In the last decade, the national/local governments and other quasi-public bodies invested JPY241 trillion (approx. US$2.4 trillion) in infrastructure, of which approx. 0.5–1.0% of infrastructure was presumably built by way of PFI procurements. If 10% of infrastructure in Japan is built by way of PFI scheme (similar to UK), the PFI market is expected to reach the annual average volume of US$25 billion.
- According to the MLIT White Paper in 2010, it is estimated that the required total infrastructure investment amounts to approx. JPY190 trillion (US$1.9 trillion) for the next 50 years (ignoring capital needs for reconstruction/revival efforts arising out of the Great East Japan Earthquake disaster in 2011).
- In June 2013, the *Abe* government released the "Japan Revitalization Strategy - Japan is Back" (the "Strategy") and expressed the intention to implement its action plan in respect of PFI. The Strategy stated that, as for the immediate investment needs, the aggregate investment requirement for PFI projects would be JPY 12 trillion (i.e. approx. USD 120 billion) over the next 10 years.
- In addition, there is appearing significant need for new infrastructure investments targeted towards the Tokyo Olympics in 2020.

まず1点目に関して、PFI事業の実施状況ですが、PFI法[1]が施行された1999年以降、2013年3月末までに418件のPFI事業が公表されています。事業期間全体にわたる維持管理・運営費用を含めた総事業費（プロジェクト・コスト）は合計約4.25兆円にのぼり、単年度でみると平均30〜35件、年間約3,300億円のプロジェクトが公表されてきたことになります。またこれらの数値から計算しますと、日本のPFI事業の平均的な1件当りのプロジェクト・コストは100億円未満であり、海外諸国のPPP／PFI事業の平均的なプロジェクト・コストに比べて少額であるといえます。

さらに日本のPFIスキームの特徴の1つとして、大半のPFI事業が地方公共団体により実施されているという点があげられ、約75％が地方公共団体、残りの約25％が国等によって実施されています。また、これらのPFI事業のほとんどが、民間事業者による「インフラ・サービスの提供」ではなく、「インフラ施設の建設と資金調達」に重点を置いたスキームとなっており、全体の約7割がBTO方式（Build-Transfer-Operate）[2]を採用しています。このような状況に対して、国は2011年6月にPFI法を改正し、公共が民間事業者に公共施設の事業運営に関する権利を付与し、利用者から直接料金を徴収することを許可するコンセッション方式のPFI事業の組成を可能にしました。

---

1 「民間資金等の活用による公共施設等の整備等の促進に関する法律」。
2 選定事業者が自己の調達資金により、対象施設を建設し、完成と同時に公共側に所有権を移転し、その後当該施設を維持管理・運営する方式。

次に日本におけるインフラ整備の必要性について述べます。わが国の公的固定資本形成に関するデータによれば、第三セクターを含んだ公共部門は過去10年間に約240兆円（単年度当り平均約24兆円）のインフラ関連投資を実施していますが、このうちPFIを活用したインフラ整備は約1％（単年度当り平均約2,400億円）程度と推計されます。ここで、英国のように、必要なインフラ投資額の約1割をPFIにより資金調達したと仮定しますと、わが国においても年間で約2.4兆円という大規模なPFI市場が形成されることになり、多くの事業者・投資家にとって魅力的な事業機会・投資機会となると推察します。

　さらに、2010年度版の国土交通白書によれば、今後50年間に必要なインフラ投資額は推計で約190兆円にのぼると試算されています。これに加えて、安倍政権は2013年6月に「日本再興戦略―JAPAN is BACK―」を発表し、そのなかで今後10年間において約12兆円以上のインフラ投資をPFIの活用により調達すると発表しています。これが実現されれば、過去10年間の3倍のペースで市場が成長すると見込まれています。また、2020年に開催される東京オリンピックに向けても多額の新規インフラ投資が必要になると考えられます。

　ここまでをまとめますと、日本のPFI市場の拡大には依然として乗り越えなければならない課題がありますが、大きな可能性を秘めた市場であると認識しています。

（Mr Shigefumi Kuroki, Senior Vice President, Structured Finance Department, Development Bank of Japan）

§6.4.2　日本市場へ新規参入する際の事業者としての視点

Vinci（フランス）　国際部長　ジャン＝セルジュ・ボアサヴィ

　Vinciグループは建設業やコンセッション事業などをグローバルに展開している業界トップ企業です。グループの総売上げ403億ユーロのうち、コンセッション事業部門が占める割合は14%ですが、当該事業部門が総利益に占める割合は50%に迫ります。そのため、全世界におけるPPP／コンセッションプロジェクトの推進を、当社の経営戦略の中核と位置づけています。現在のところ、残念ながら当社は日本市場において存在感を発揮できておらず、日本のPFI市場に関する知見は限られています。そこで本日は当社のPPP／PFI事業に対するアプローチをご紹介したいと思います。

　私たちVinci社がPPP／PFI市場への新規参入を検討する場合、PPP／PFIに関する市場環境と長期デットの調達の可否を検証します。さらに、PPP／PFIの案件組成においては当該国の公共側の政府・自治体や現地の民間事業者とパートナーを組むわけですが、これらの官民パートナー候補について調査・検討を行います。PPP／PFIの"複雑さ"を過小評価してはならず、現地固有の法制度や投資環境などに起因する"複雑さ"も多く存在しますが、われわれのような海外のコンセッション事業者がこれらの"複雑さ"に適切に対処するためには、現地の官民のパートナーと協働する必要があります。

公共側の担当者にはPPP／PFIの案件組成に必要な高度な交渉力が求められます。これは民間事業者との交渉や、政府や各自治体において予算や事業優先度を決めていくうえで必要です。個人的な印象を述べさせていただくと、日本においてPPP／PFIは、インフラ整備のための資金調達手段としては強く認識されているものの、長期事業期間を通したコスト削減によるVFM創出のための手段としては認識されていないように思います。もしその印象が正しいのであれば、日本のPPP／PFI市場は、政府の強力なリーダーシップによって、改善・拡大する可能性を秘めているといえます。

　民間事業者のパートナーとしては、現地市場でのPPP／PFI事業に関する知見と実績が豊富であることに加えて、魅力的な条件での長期デットを調達するために必要な強いバランスシートをもっていることが重要であり、PPP／PFI事業を成功に導く大きな要因の1つです。

　公共と民間の間でのリスク分担については、両者のバランスが重要です。基本的には、民間事業者が事業に起因するリスクを負担し、公共側が不可抗力、地質リスク、法令変更といった外的なリスクを負担すべきです。またこのようなリスク分担が適切かつ詳細に契約書に落とし込まれている必要があります。特に事業契約の解除に起因するリスク分担については詳細な規定が求められます。

〔Mr Jean-Serge Boissavit, Overseas Director, Vinci Concessions（France）〕

§6.4.3 透明性が高くわかりやすい投資を好む年金投資家

APGアセット・マネジメント　上級ポートフォリオマネージャー
ヤン＝ヴィレム・ルイスブルック

　APG（Algemene Pensioen Groep N.V.）は、政府・公共部門、教育産業、建設産業、清掃産業、住宅産業、エネルギー・公益サービス産業、保護雇用者団体等の業界団体の団体年金を運用しています。これらの団体年金に加盟する雇用主は約3万社、加盟者約450万人であり、2014年3月末現在で約3,550億ユーロの資産を運用しており、オランダにおけるすべての団体年金の3割に相当します。オランダのヘールレンとアムステルダム、海外ではニューヨークと香港に拠点を設けています。APGは現在、総資産のうちおよそ2～3％をインフラ投資に配分しており、主にエクイティ投資を中心とする魅力的なインフラ投資機会を求めて全世界で活動しています。

　インフラ投資に関して、案件の複雑性と資本コストには強い正の相関があると考えています。言い換えると、案件が複雑になればなるほど、投資家は「よりリスクが高い」と感じるようになり、その結果、要求する投資リターンの水準が高くなる傾向があります。一般的に年金投資家は、インフラ投資のように複雑でなくわかりやすい投資を選好します。たとえば、英国のPFI制度では、投資の枠組み（フレームワーク）が標準化され、関係者間のリスク分担が明らかになっていますが、このよ

うなわかりやすさが、当社が英国PFI案件に対して継続的に投資を実施している理由・動機となっています。

　また、私たちが海外PPP／PFI市場への投資を新規に検討する際には、投資家として、投資候補案件（投資パイプライン）のボリュームが底堅く力強いと確信できるか否かという点も重要視します。そのため、日本において多額のインフラ投資が将来的に必要なのであれば、海外投資家にもわかりやすく明確なPPP／PFIに関する投資フレームワークの策定とともに、底堅い投資パイプラインを創出していくことが重要になるでしょう。一方で、これらの条件がそろえば、国内だけでなく海外からも日本のPPP／PFI市場に資金が流入し、多額のインフラ投資資金をPPP／PFIで民間から調達したとしても、より安い資本コストでの資金調達が可能になるでしょう。

（Mr Jan-Willem Ruisbroek, Senior Portfolio Manager, Infrastructure, APG Asset Management）

§6.4.4　PPP／PFI活用のメリットと政府の役割
英財務省　インフラUKファイナンス部門長　ダグラス・シガース

　政府部門がPPP／PFIを推進する背景にはさまざまな理由が考えられます。英国においてもPFI導入当初は政府債務のオフバランス化を目的としていましたが、近年ではオフバランス化の重要性はあまり強調されなくなり、むしろ、従来の公共によるインフラ整備の手法に比して、よりVFM（バリュー・フォー・マネー）[3]の高いサービスを提供できる手法であるという点

が重要視されています。個人的な見解ではありますが、VFM創出への寄与度が高いPPP／PFIの仕組み・特徴をあげるとすると、「民間事業者の建設・維持管理・運営スキルの活用」「事業運営期間（事業ライフサイクル）を通してのコストの適正化」および「事業運営の効率化」の3点であると考えます。

このなかでも、今日では特に2点目の「事業ライフサイクルを通してのコストの適正化」が最も重要なVFMの構成要素であるかもしれません。財政緊縮下において財政出動の期待が高まると、本来であれば長期安定的に確保すべきインフラ施設の維持管理・運営予算が政治的な判断で犠牲になるかもしれません。一方で、PPP／PFIスキームのもとで、公共と民間事業者が長期事業契約を締結し、公共側が事業ライフサイクルを通して（民間事業者のパフォーマンスに応じて）維持管理・運営コストを払うことを約定してしまえば、たとえ一時的にマクロ経済の悪化や税収の減少に陥ったり、政権交代や政策転換が起こったりしても、公共側からの長期安定的な支払が担保され、インフラ施設が適切かつ効率よく維持管理されることになります。

PPP／PFIを推進する政府部門の役割をあげるとすれば、まず可能な限り明確な法的枠組みを整備すること。次に事業契約

---

3 PFI事業における最も重要な概念の一つで、支払（Money）に対して最も価値の高いサービス（Value）を供給するという考え方のこと。具体的には公共が直接サービスを提供する場合に公共が負担するコストと、PFIを実施した場合に公共が負担するコストとを現在価値ベースで比較し、移転したリスクを定量化したものやその他定性的評価を加味して判断する。

の標準化を推進すること。そして最後に適切かつ相応規模のPPP／PFI対象事業を選定することがあげられます。特にPPP／PFI事業の案件組成には多大な手間とコストを要することから、小規模のインフラ整備には適しておらず、相応規模の事業を選定することが重要になります。これに加えて、PPP／PFI事業では長期安定的な維持管理業務の実施が求められるため、技術の陳腐化が予想されるITサービスなどに活用することはむずかしく、対象事業の選定に慎重さが要求されます。

英国におけるPFI市場の黎明期においては、民間事業者としてコントロールすることがむずかしいリスクを民間事業者に転嫁しているプロジェクトも存在しましたが、これは逆に、定量化できないリスクと不確実性により維持管理・運営コストが過大に見積もられてしまうという事態に陥りました。この経験を通して、今日では公共側がどのようなリスクを民間に負担させ、どのようなリスクを公共側が負担すべきかを学んでいます。

個人的な見解ではありますが、東京オリンピックの開催に伴う施設の新設工事についてPPP／PFIを活用することに、私は必ずしも賛成しません。それは施設引渡日が明確に固定されていることから、公共側は民間事業者との契約交渉の場において不利な立場に陥ると考えるからです。

（Mr Douglas Segars, Head, Infrastructure Finance, Infrastructure UK, HM Treasury）

§6.4.5　海外機関投資家の資金を呼び込むための諸条件

アリアンツ・グローバルインベスターズ
チーフインベストメントオフィサー・インフラデット部門長
デボラ・ズルコウ

　Allianz Global Investorsは全世界で3,000億ユーロを超える資金を運用する資産運用会社です。私はそのなかでインフラ資産に対するデット投資部門を率いており、過去1年間で欧州市場において約20億ユーロのインフラ・デット投資を行いました。

　典型的なインフラプロジェクトの場合、総事業費の約80〜90%を借入金（デット）で調達するため、投資金額の観点からみれば、エクイティ投資よりもデット投資のほうが投資機会が大きく、インフラ・デットに対する機関投資家の関心が高まっており、今後も機関投資家向けのインフラ資産に対するシニアデット投資市場は成長・拡大を続けていくものと確信しています。

　当社に投資をしている投資家（年金基金や保険会社）は、彼らの長期負債にマッチした資産クラスへの投資を求めており、この観点から20〜30年の長期にわたって安定的なキャッシュフローをもたらすインフラ資産は有望だと考えています。たとえば、社会インフラ関連のPPP／PFIプロジェクトのなかでも、施設の重要性が高く、収入構造面で需要リスクを伴わないアベイラビリティー型[4]のプロジェクトは、私どものような投資家

にとって理想的な投資対象です。当社では、マクロ経済状況の減退等に起因してプロジェクトの収入が減少するリスクを回避するため、基本的には需要リスクの高い案件には投資しない方針ですが、投資を検討する場合においても、一部の運営開始ずみの道路案件や空港案件でみられるような、きわめて高い精度で需要予測が可能な案件に限定しています。日本においては、民間事業者への需要リスクの移転を伴う新たなコンセッション方式によるインフラプロジェクトが検討されていると理解していますが、その場合には、政府や地方公共団体等の公共側として、投資家が「需要リスクが予測可能で限定的である」と確信できるような対象事業を選定し、適切な投資フレームワークを構築することが重要です。

　個人的な見解ですが、もし海外の機関投資家が日本のPPP／PFI市場への参画を検討するのであれば、年間100億ドル相当（約1兆円）以上の投資パイプラインの創出が必要になるかもしれませんし、年間100億ドル規模の投資機会が期待できるのであれば、新規参入の検討に必要な手間やコスト、たとえば、パートナーとなりうる日本企業との提携や有能かつ専門的な日本人スタッフの採用などを正当化できるものと考えます。

4　投資対象のプロジェクト資産や設備を利用可能な状態に維持するなどの一定の要求水準を満たせば、長期契約の相手方（たとえば、PFI案件における公共セクターや発電案件における大手電力会社等）から、投資家の適正リターンを含む資本コストを回収するに足る安定的な収入を得ることが可能な収入ストラクチャーや、そのような収入ストラクチャーをもつプロジェクトを指す。

また海外の機関投資家による日本のPPP／PFI市場についての理解を深めるためにも、海外投資家との橋渡し役を担い日本のPPP／PFI市場に関する広報・宣伝活動を行う公的機関や部署も必要になるのではないでしょうか。

〔Ms Deborah Zurkow, Chief Investment Officer and Head, Infrastructure Debt, Allianz Global Investors〕

§6.4.6 PPP／PFI改革に向けた日本政府のリーダーシップに期待

メリディアン・インフラストラクチャー　CEO
ティエリー・デオ

このセッションではPPP／PFI分野で知見・経験を豊富にもつパネリストの方々からさまざまな論点があげられました。私のほうで簡単にまとめますと、以下の5点が重要な点だったのではないでしょうか。それは、①VFMの構成要素として何を重要視すべきか、②政府としていかにリーダーシップを発揮するか、③知見と経験のある国内PPP／PFIプレイヤーが存在しているか（あるいはいかに育成するか）、④底堅く力強い投資パイプラインを創出できるか、そして、⑤（主に長期デット投資家としての）機関投資家との橋渡し役を担う機関や部署は存在するか（あるいはいかに設立するか）という点です。これらの意見は、どれも正しく重要な点であると思いますが、PPP／PFIを積極的に活用できている国とそうでない国との違いは、その国の政府がPPP／PFIに関する適切な政策立案を行う「能力」

と「意思」をもっているか否かという違いに起因すると思います。日本が今後ともPPP／PFI市場の環境を整えていき、今後必要となる巨額のインフラ投資に国内外からの投資を呼び込んでいくことを期待しています。

（Mr Thierry Déau, Chief Executive Officer and President, Meridiam Infrastructure）

§6.5　Session 2：世界への投資

日本の海外投資の枠組みや機関は、欧州その他の世界のニーズに応える能力をもっているか

§6.5.1　日本企業のインフラ海外展開支援と世界への貢献

国際協力銀行　欧阿中東地域統括　待井寿郎

　国際協力銀行（JBIC）は、政府機関として日本企業によるインフラ分野での海外展開を効果的に支援できていると考えており、その理由を3つ述べます。

　第一は、政府をあげての支援が政策として明確に掲げられていることです。インフラ海外展開はアベノミクスの第三の矢の重要な項目として、現政権が関係省庁やわれわれのような政府機関を総動員して明示的に取り組んでおり、これは民間部門への明確かつ力強いメッセージになっています。政府は、

ASEAN、南西アジア・ロシアCIS・中南米、アフリカといった世界の地域ごとの状況に応じて課題を設定して取り組んでいます。JBICはこれまでの海外インフラへの多くのファイナンス実績を生かした支援を提供しています。

　第二は、JBICのもつ多様なツールとその弾力的な組合せです。JBICは自ら資金を供給するダイレクトレンダーであり、これは特に市場からの民間資金調達が困難になるような場合はきわめて有効な機能です。これに加え、保証機能、出資機能もあわせもち、必要に応じて機動的に組み合わせて対応しています。貸付先の種類もソブリンからコーポレート、プロジェクトファイナンスと多様であり、対象となる取引の種類も貿易のみならず直接投資、必要があれば日本に直接紐つかないアンタイド資金も提供します。

　第三は、案件早期段階からの関与です。日本企業が受注する段階になって融資の相談を受けることが多かった従来とは異なり、近年は案件の仕組みも複雑になり、複雑な金融技術を要する案件が増えており、競争も激化しています。これに伴い、日本企業から案件組成の早期段階からファイナンスを受けるための相談を受け、バンカブルな案件にするための助言や受注支援を積極的に提供しています。また、個々の案件ごとの対応を超えて、いくつかの国とは政府とハイレベルでの政策対話を定期的に行い、先方の政策への理解を深めるともに、日本企業から要望のあるビジネス環境改善等に係る提案も行っています。これらの関与を通じ、相手国がJBICおよびその顧客を信頼でき

るパートナーとして認識することに貢献できているのではないかと思います。

(Mr Toshiro Machii, Executive Officer, EMEA, Japan Bank for International Cooperation)

§6.5.2　海外展開すべき日本国内のPPP／PFI市場整備の課題
　　　　欧州復興開発銀行　シニアエコノミスト　坂爪敏明

　欧州復興開発銀行（EBRD）はJBICのような対民間だけでなく、対政府の融資を、ロシアを含む33カ国で行っています。PPPプロジェクト開発においても、プロジェクトに融資するだけではなく、その前段階、法律や組織の整備や民間企業が安心して投資できる投資環境の整備から携わっております。そのような観点からみた、日本の課題について述べます。

　まず投資ニーズについてですが、大きく分けると①オリンピックや震災などに関連した特殊需要（あるいは一時的な需要）、②投資サイクルに応じた（インフラの原価償却に応じた）再開発需要、③新エネルギー需要など新分野における需要などがあります。投資ニーズの特徴やセクターの特性によって、当然プロジェクトの構造や資金源も変わってきます。さらにそれに伴う構造改革の必要性も変わってきます。

　日本の財政が逼迫するなか、今後は民間セクターの活用が課題となってくると思いますが、日本にとってPPP／PFI市場はいまだに小さく、開発途上といえます。また欧州に比べて、あ

らゆる分野（金融、アドバイザリー業務、法律専門家、政府の専門家など）で人材も育っていないのが実情です。同様に投資環境の未整備が今後重要な課題だといえます。投資環境整備には法律の整備、PPPユニットの創設（専門知識と経験の集約）、投資格付レーティングが比較的低い地方公共団体へのクレジットサポート、競争原理の拡大、料金改革、規制の適正化などが含まれます。

　民間セクターと公共セクターの連携した努力によって、チャレンジをチャンスに変える新たな局面が生まれてくるといえます。

（Mr Toshiaki Sakatsume, Infrastructure Boniness Group, European Bank for Reconstruction and Development）

§6.5.3　海外展開に不可欠な非技術的要素と日欧が協力できる課題

三菱商事インターナショナル（欧州）　社長　林春樹

　当社も世界でさまざまなセクターのインフラ投資を行っており、その観点から現状と課題について述べます。日本政府は、前政権からパッケージインフラ輸出として、JBIC、国際協力機構（JICA）、日本貿易保険（NEXI）、JETRO、大使館が連携して、支援体制を強化してきました。これまでのアジア中心からアフリカまで活動範囲を広げ、日本企業も他国とともに国際競争力をつけてきました。

　アフリカでは、中国が相手国政府との関係、企業としての企

画力、価格、ノウハウ、マネジメントのいずれにおいても優れており、日本企業は、何でもハイテクであればよいと考えていた発想の転換を迫られています。欧州にはこの地域での歴史的な関与があり、日本との共通点も多く、日欧が協力して取り組める課題は多いと思います。

(Mr Haruki Hayashi, Regional CEO, Europe & Africa, Mitsubishi Corporation, Managing Director, Mitsubishi Corporation International (Europe) Plc.)

§6.5.4 ディスカッション

フライ（議長）(Sir Graham Fry、KCMG、元駐日大使 (2004-2008))：たしかに日本は日本株式会社の印象を変え、他国と協働するようになっています。欧州・英国は日本の競争相手になりうるでしょうか。

林：英国企業がほとんど国外でビジネスをしているように、日本もようやく国外でビジネスをするようになり、ハンズ・オンのセキュリティも必要で、そこに英国・欧州と協働する機会があります。ハイテクだけではありません。

橋本（橋本紀晃、東芝欧州総代表）：日本の競争力は、製造業を中心に日本国内でつくって海外に輸出するモデルで進展してきました。近年は日本も海外でビジネスをする必要性に迫られており、商社さんも、Trade CompanyというよりInvestment Companyとしての役割が大きくなっていると思います。日本から海外にTVなどのモノを売る時代でなく、海

外でインフラに投資する時代で、環境やエネルギー基準など要求の水準の高い欧州と協働するチャンスが広がっています。東芝のような製造業では、ハイテクはあるがカネがない状況であり、JBICなど機関や商社さんとともに取り組む必要があります。

ハワード：アフリカではODAによってインフラ整備が行われてきましたが、協働できないのでしょうか。

待井：JBICはODA供与機関ではありませんが、JBICが発電所を支援すれば、送電線はODAが支援するなど協働はされてきています。

林：2013年6月にTICCADII（第2回アフリカ開発会議）が開催され、アフリカに対する支援に大きなコミットメントが示されました。ODAとの協働が重要です。

§6.6　Session 3：日本への投資

日本のインフラ事業への投資の魅力と機会として、電力改革、日EUの EPAやTPP、オリンピックや農業など国際競争力の弱い産業を議論

---

§6.6.1　開会の辞
　　　　　　　大和日英基金　事務局長　ジェイスン・ジェイムズ

日本への投資がこのセッションのテーマですが、日本の市場

のチャンスとチャレンジについて、評価と批判と両面から、ここチャタムハウスにおいて、聖域のない独立した議論を行いたいと思います。まずは事前に配布したアジェンダと順番を変えて、批判的と思われるフィリップ・ハワード氏からプレゼンをしてもらいます。

(Mr Jason James, Director General, Daiwa Anglo-Japanese Foundation)

§6.6.2 アベノミクスは改革か新たな規制の導入か
GRジャパン　共同設立者　フィリップ・ハワード

　日本のチャレンジとチャンスについて、国内ビジネス環境において、多くの規制の障害があることについて述べます。法的枠組みが複雑で、登録や商業登記の手続が官僚的で「ガラパゴス規制」ともいうべき、世界の実状や需要から乖離した日本独自の経済・市場・規制があると「いわれて」いますし、実際、具体的なビジネスを始めようとすると「あります」。

　まず外国人投資家に対するビジネス環境としては、先進資本主義国として、法体系を含むインフラが整備され、国・地方からのさまざまな支援もあり、良好です。ただ、外国人投資家に対する規制環境は非常にチャレンジングなものが多く、アベノミクスが改革となるのか、新たな規制の導入となるのか、疑問です。改革と規制緩和が重要で、FTA、国家戦略特区、電力市場改革、カジノ規制緩和などに積極的に取り組む必要があります。

日本に求められるのは、外国人投資家が日本のオープンネスに懸念をもっている事実を深刻に受け止めるべきです。そして、各大臣のリーダーシップで過剰な規制問題を改革していく強力な取組みが必要です。また、外国人投資家側としては、日本に深刻に考えさせること、目の前の利益に目をくらまされることなく、日本の問題をしっかり見据えることが重要です。

（Mr Philip Howard, Co-founder, GR Japan K.K.）

§6.6.3　日本市場のビジネス環境の強み・課題とアジア市場への広がり

JETROロンドン事務所長　有馬純

　先ほどハワードさんから日本でのビジネスのむずかしさについてご指摘がありました。2011年の国連貿易開発会議（UNCTAD）の統計によると、日本のGDPに対する対内直接投資（FDI）の割合は3％程度と、他の主要国と比べきわめて低いものになっています。政府は、成長戦略のなかで対内直接投資残高を2012年の17.8兆円から2020年まで約倍の35兆円にまで倍増するとの野心的な目標を打ち出しています。

　これは容易な目標ではありませんが、ここで日本の強みについても触れたいと思います。

① 144カ国中第9位の国際競争力
② 144カ国中第1位のビジネス洗練度
③ 144カ国中第5位のイノベーション度

（出典：WEF, *Global Competitiveness Report,* 2013-14）

④ R&D投資は、米国に次ぎ世界第2位の規模、G8中第1位のGDP比
⑤ アジア太平洋16カ国中3番目に低い政治経済リスク
⑥ 世界第2位の知的財産保護度

など、日本には多くの強みがあります。

　もちろん、改善すべき点も多くあります。世銀のDoing Business Index では日本のビジネスのしやすさ度合いは世界第27位で、特に税金とビジネスの立上げのスコアが非常に低いものになっています。2013年のJETROの調査では、日本でビジネスを行っている外国企業は、高いビジネスコスト、言葉のバリア、規制の障害、雇用の柔軟性の不足等を問題点としてあげています。こうした障害を取り除く取り組みの一環として、安倍首相は、2014年3月末に東京圏、関西圏、新潟県新潟市、福岡県福岡市、兵庫県養父市、沖縄県の6カ所を国家戦略特区（National Strategic Special Zones, NSSZ）に指定しました。国家戦略特区は規制緩和のショーケースともいえるもので、日本全体にも波及効果をもつものです。安倍首相はダボス会議で、諸外国に比して高い法人税の引下げに取り組む、強い意志を表明しました。この点は、今年大きな政治的議論になると思われます。

　日本には多くのビジネス機会がありますが、その1つの事例はエネルギー分野です。再生可能エネルギーは固定価格購入制度によって活況を呈しています。また、2016年の全面自由化を目指す電力市場改革を通じて、新たなビジネス機会が生まれて

図表6－4　拡大するFTA／EPAネットワーク

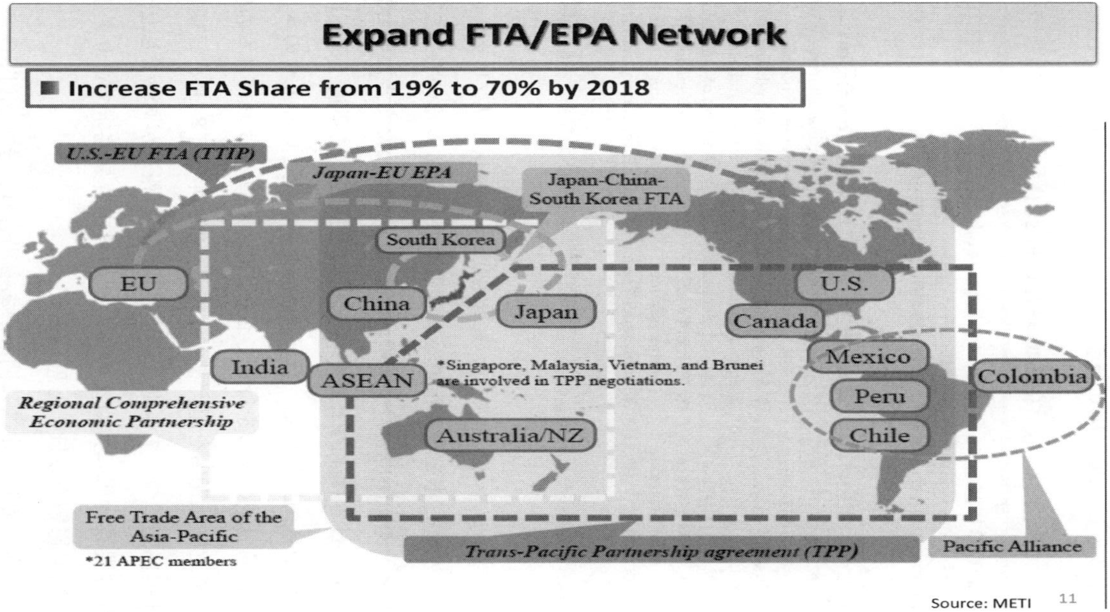

Expand FTA/EPA Network

■ Increase FTA Share from 19% to 70% by 2018

U.S.-EU FTA (TTIP)

Japan-EU EPA

Japan-China-South Korea FTA

Regional Comprehensive Economic Partnership

Trans-Pacific Partnership agreement (TPP)

Pacific Alliance

EU / India / China / South Korea / Japan / ASEAN / Australia/NZ / Canada / U.S. / Mexico / Peru / Chile / Colombia

*Singapore, Malaysia, Vietnam, and Brunei are involved in TPP negotiations.

Free Trade Area of the Asia-Pacific
*21 APEC members

Source: METI

第6章　研究討論会Ⅳ　日本は世界に投資・貢献し世界の投資を呼び込めるか　213

図表6-5　JETROの機能

> **Talk to JETRO First !!**

- JETRO IBSC: one-stop centre for establishing a business base in Japan
- Invest Japan Hotline: Consultation service on administrative procedures.

Consulting
- Legal system
- Cost estimation
- Taxation
- Labor law
- Market regulation
- Business practice
- Human resources
- Location

Facilities
- 50 working days free
- 9 am – 1pm
- 6 major cities
- Fully equipped
- Shared reception
- PC room with printer/scanner
- Conference rooms available
- Event hall available

Information
- Business library
- Market reports
- Business advisor
- Online database
- Platform of professional service provider
- Connection to ministers & regulatory authority

きます。もう1つの大きな機会が2020年の東京オリンピックです。

また、日本を日本市場という観点からだけみるのではなく、アジア太平洋市場のなかの日本としてみていただきたいと思います。日本はTPP、東アジア地域包括的経済連携（RCEP）、日中韓自由貿易協定、日EU経済連携協定という4つのメガ自由貿易協定の交渉を行っており、これが実現すれば日本の自由貿易比率は70％を超えます。本日（2014年4月8日）、日豪経済連携協定について原則合意に達したとの報道がありました。これは農業分野に焦点を当てた初の自由貿易協定であり、TPP等にも影響を及ぼすと思います。

日本でのビジネスに関心がある場合は、まずJETROにコン

タクトしてください。JETROは無料の貸事務所、情報提供、対日投資ホットライン等、多くのサービスを提供しています。

（Mr Jun Arima, Director-General, JETRO London）

§6.6.4　貿易・投資でのアジアや英欧との協働と情報発信力の強化

ECIPE研究所長　ホスック・リー＝牧山

世界中でFree Trade Agreements（FTA）締結の動きが広がっていますが、その主な目標は輸出振興です。日本の対GDPの輸出依存度は15％と、フランスの28％、英国の42％、ドイツ50％、中国25％と比べても低水準にあります。いまの日本の目標は輸出ではなく、投資です。

しかし、日本がこうした貿易交渉に入る環境がゼロ・サム・ゲームとなってしまっている感があります。つまり、EUがTTIPを重視し、米国がTTIPよりTPPを重視するなか、太平洋でTPPが合意・徹底されると大西洋でEUの利益を害することとなります。また、TPP、TPA／EPA、環大西洋貿易パートナーシップ（TTIP）の日米欧の間のトライアングル交渉において、EUは米国との関係を優先し、日本との関係を過小評価して強く交渉に臨む傾向もあります。しかし、新幹線など交通の分野でも農業の分野でも、日欧に共通点と共通利益が多く、日欧ともこれを過小評価すべきではありません。日本にとってアジアとの地域FTAを強化するのが得策ですが、EUから中国への輸出の３分の２の大半がドイツからのみであり、他

のEUにとって、中国との関係の深い日本とのFTAはメリットがあります。EUは貿易交渉において、こうした利益を考え、官僚的に投資を増やして、主要産業をEUになくす「ドーナツ化現象」を起こさないようにすべきです。

　研究討論会Ⅰの世界の金融センターに関する議論でも情報発信力の重要性が指摘されていましたが、貿易・投資を考えるときにも非常に重要です。まず、日本は製造業や他のビジネスのスタンダード設定で、アジアや世界をリードすべきです。また、日本は成長するアジア太平洋に位置することを最大限に活用して、アジアとの貿易・投資を高め、それが地理的に遠すぎる欧州と協働する利益となってきます。また投資の話は特に、20〜30年の長期的な視点に立って取り組むべきで、2020年のオリンピックもよい機会となり、逆に英米も日本や日本との貿易・投資など二国間を過小評価すべきではありません。そして特に共通点の多い英国・欧州は、日本と戦略的に協働し、ドイツが中国との間に築いているように北東アジアにセーフガードを築いていく必要があります。

（Mr Hosuk Lee-Makiyama, Director,
European Centre for International Political Economy）

§6.6.5　「世界のなかの日本」という立ち位置
　　　——求められる英国流の発想の転換

　　　Komatsu Research & Advisory　代表　小松啓一郎

　皆さんのプレゼンテーションが2012年12月に成立した安倍晋

三政権下の新経済政策（アベノミクス）以降の直近の課題に集中しているため、これまで世界銀行、英国通商産業省（DTI）、英国貿易投資総省（UKTI）に至る私自身の経験で直接携わってきたこともふまえ、EU統合市場が構築されていくなかで英国と欧州大陸諸国による官民の対日貿易・投資促進策がどのような将来への教訓を生む結果になってきたか、それを振り返ってみたいと思います。

　1972年に当時のエドワード・ヒース英首相が訪日した時点から英国側では国家レベルの対日貿易・投資促進策が開始され、後に欧州全体に大きな影響を及ぼすことになった事実があります。同首相訪日の翌1973年、DTIの省内に対日輸出促進課（EJU）が新設され、日本市場に向けて英系輸出企業等をサポートする特別任務の推進が始まりました。その結果、英政府は1970年代から1980年代にかけて日本産業界に包含される潜在的ビジネス機会を自国産業界に紹介・説得することに成功していきました。この政策では、円高局面で対日輸出促進に注力することとなり、続く円安局面で対日投資促進に踏み切ることになりました。その実績としては、1985年の対日輸出規模が10億ポンドだったのに対し、わずか11年後の1996年には4.3倍にも当たる43億ポンドに達しました。

　このような英国の対日経済関係強化策は日本側の官民をも動かすことになりました。というのも、当時の日本の輸出超過拡大を厳しく非難する米国との間で「貿易戦争」とも呼ばれる摩擦が激化していたなか、英国がそれとは違って日本産業界を

「脅威」よりも「機会」とみるキャンペーンを展開し、日系企業を「競争相手」とみるよりも「潜在的パートナー」とみていることが注目されたからです。

また、欧州大陸内ではEU統合市場が排他的な要素を強めつつあり、日系企業のみならず、米系企業等の非欧州系産業界を締め出す方向に傾いていたなか、英国が他のEU主要国とも著しく異なる対日経済協力促進策を進めていたことは特筆に値します。実際、英政府は日産、ホンダ、トヨタ等の主要製造業に対英投資を呼びかけ、EU域外の日系企業であっても英国内で登記すれば「欧州企業」として扱われる道を促進・拡大していきました。これは当然、当時の保護政策的な方針を進めていた他の欧州主要国側の強い不快感や反発を招きました。

しかしながら、英国側で官民一体となって数十年間も続ける対日貿易・投資協力戦略が目にみえる実績を築いた結果、最終的には他の欧州主要国もその価値を高く評価せざるをえなくなりました。英国が「オポチュニティー・ジャパン」や「アクション・ジャパン」等の4世代にわたる対日官民キャンペーンを展開するなか、同様のキャンペーンは仏、独、オランダ、オーストリア等でも次々に開始されることになり、1997年までには北米のカナダや南太平洋のオーストラリアに至るまで12カ国もの先進国が対日貿易・投資促進キャンペーンに乗り出していきました。それどころか、EU自体もまた「ゲートウェー・ジャパン」と銘打つキャンペーンを開始する状況にまで発展したのです。

当時の日本では1990年代初頭の「バブル」経済の崩壊に続いて「失われた10年」などという造語まで生じる自虐的な自国経済認識が蔓延していましたが、だからこそ「ビジネス機会」もまた見出されるとの発想で「経済大国・日本」へのアプローチを続けていた英国は、結果的に対日協力という側面で欧州全体から北米やオセアニア方面までの「オピニオン・リーダー」となり、時代の流れを大きく変えていきました。

　その後、2000年を過ぎる頃からは中国経済の急拡大も重なり、英国や欧州大陸諸国間での対日貿易・投資拡大への勢いが失速し始めました。続いて2011年3月には東日本大震災、巨大津波、福島第一原発事故による電力供給量の3割減等々と日本はさらに大きな社会的・経済的困難にも直面することになりました。しかし、これらに対応するには公的資金による復興策だけでは明らかに限界があります。

　そこで、日本の国内資本のみならず、外資誘致促進にも成功することになれば、公的資金だけの場合とは比較にならない大規模な復興資金源を獲得できることになります。公的資金の投入はあくまでも内外の民間投資促進への「呼び水」の役割を果たすものと理解すべきであり、基本はやはり貿易・投資の促進によって復興の原動力になるべき資金源を効果的に確保していくことだといえます。

　また、日本周辺の東南アジア諸国では英、仏、米、オランダ等々の先進国がかつて「宗主国」として世紀単位の長きにわたって存在していたにもかかわらず、1960年代半ば過ぎまでの同

地域の経済成長率の低さは同じ期間中のアフリカよりも低い状況にありました。しかし、1970年前後から日系企業による大規模な東南アジア投資が開始されてからは同地域の経済発展が著しく進み、アフリカとの格差拡大が「衝撃的」ともいえるほどになりました。これは各産業分野の日系企業が次々に現地に投資し、かなり地元密着型の独特のビジネスを展開してきたこととも関連するとみられます。今後、さらに距離の遠いインド以西の中東・アフリカの豊富な資源地帯でも東南アジアでの貴重な経験が活かされることになれば、ようやく立ち上がりつつあるアフリカ側でも歓迎されるような産業協力が可能になるかもしれません。

このような状況下、すでに「過去」のものとなりつつある観も否めない先進国地域での対日貿易・投資促進策の流れをもう一度振り返り、そこでの成功・失敗の教訓を参考に「世界のなかの日本」という立ち位置を再確認し、経済・安全保障の両面から現状を見据えた官民一体の経済再生推進が強く望まれます。

(Dr Keiichiro Komatsu, Principal, Komatsu Research & Advisory)

§6.6.6 外国投資家と日本企業の間でのpartnershipsとcollaborations

クリーンエネルギー・ヨーロッパ　AMEC　所長　ジェイムズ・ハリス

インフラ投資事業について、当社Clean Energy Europeは、

図表 6 － 6　研究開発に関する国際連携

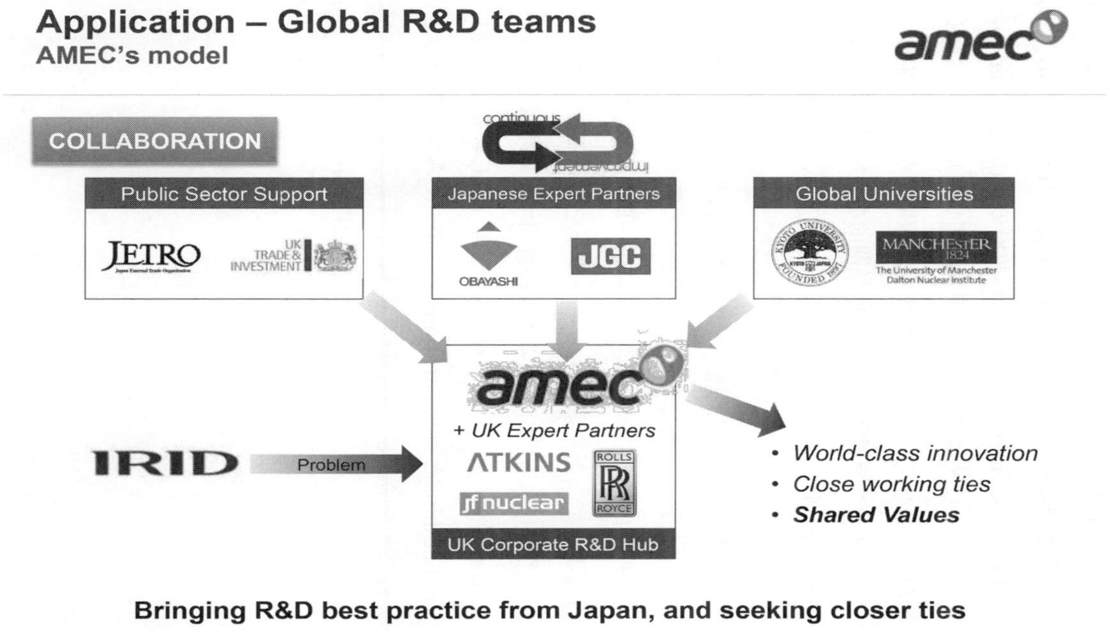

Application – Global R&D teams
AMEC's model

- *World-class innovation*
- *Close working ties*
- ***Shared Values***

Bringing R&D best practice from Japan, and seeking closer ties

60年間にわたって日本とビジネスを進めるなかで、3つの重要な成長要素があることを学びました。Innovation、collaboration、confidenceです。日本政府の外国企業支援ではありません。いまやこうした成長促進は国レベルとなり、ビジネスの現場でも変化が起こっています。短期的な政策決定のマインドが、インフラ投資促進のため長期的な戦略に変わっていっていること、特にエネルギー・セクターでは、市場から大きく信任を得ていることは素晴らしいことです。

しかし、こうした好転の影で、特に公共セクターで依然として外国企業が市場に参入することが困難である例がみられます。日本は、東日本大震災と福島第一原発事故という特殊な偶然によって、新たなエネルギー開発を始めることとなりました。それによって21世紀の世界の直面する必須課題について考える機運が高まり、外国投資家と日本企業の間でのpartnershipsとcollaborationsが、かつてみない深さで進んでいることを強調したいと思います。

(James Harris, AMEC Strategic Programmes, Clean Energy Europe)

§6.7　議論・研究成果

§6.7.1　Session総括——長期的な事業運営力を高め日本への投資促進を

大和日英基金　事務局長　ジェイスン・ジェイムズ

　Session 2の議題である「日本の海外投資の枠組みや機関は、欧州その他の世界のニーズに応える能力をもっているか」という問いに対する答えは明らかに「Yes」だったように思います。他方、Session 1や3で議論された、日本の国内市場が外国人投資家に与える機会については、解決策を模索している現状もみえてきました。たとえば、日本の農業に対する投資を現実的にする効果的な方法が提示できるか、心配でもあります。ここに参加されたさまざまな投資家が、日本のPPI／PPPは、BTO（Build、Transfer、Operate）からBOT（Build、Operate、Transfer）に移行する必要があるという点で意見の一致をみました。日本への投資促進に唯一必要不可欠なのは、長期的な運営に対するコントロール能力を高めるべきだという点であったと思います。最後に、国家戦略特区は非常に興味深い施策で、日本での規制緩和の試みを行い、もし東京でこの事業が成功すれば、日本全国でワークするとの印象があります。

（Mr Jason James, Director General, Daiwa Anglo-Japanese Foundation）

§6.7.2　チャタムハウスの研究成果と世界の協和共栄への実践研究

　日本の経済社会の将来とその改革であるアベノミクスの将来について考える前提として、日本には、巨額の個人金融資産、健全な金融システム、外貨準備など強固な側面があります。しかし高齢化のもと、国内市場の構造改革だけで2％の成長を達成するのは無理で、TPPなど海外からの投資を呼び込むことで成長率を高めることが不可欠です。また国内市場のなかでも、高齢化のもと、1％でも成長率をあげる必要があり、そのためにはリスクをとり高いリターンを求める企業や家計の行動を促す改革が必要です。アベノミクスの成否を握るのは投資であり、パッケージインフラ輸出は課題はあるものの進展してきていますが、世界から国内への投資とこれを呼び込むPPP／PFIなどの仕組みにリスク、コスト、透明性等の課題があります。

国内外のインフラに対する新たな投資への資金増強

　日本のインフラ市場は巨大で、今後成長が見込まれますが、PPP／PFIなど政府だけでなく民間側で世界から投資を呼び込む仕組みが乏しいのが現状です。鍵となるインフラ事業を促進するため、日本は英国の経験に基づいて1999年にPPP／PFIを導入しました。日本は大震災の復興、2020年の東京オリンピックに向けた迅速なインフラ整備が課題となっています。日本政府は、電力市場改革も、英国政府のように行っており、環境の

持続可能性のため戦略的に考えられ、この整備には、仕組みの標準化と規制改革、労働市場改革などが必要です。また、民間が交通や住宅だけでなく、病院や刑務所のような公共サービスにまで投資する仕組みをつくるには、発想の転換と、社会的な合意が必要です。

　日本も大陸ヨーロッパも政府の公共投資が民間投資を排除してきた歴史がありますが、震災復興から東京オリンピックに至るまで民間投資の呼込みは不可欠です。PPP／PFIは政府が債務のオフバランス化をして債務を隠すためでなく、公共サービスの提供コストを市場原理で下げることに目的があるのを忘れてはなりません。対象となる日本国内のインフラプロジェクトも透明で世界に開かれたものとすべきです。日本企業は海外では国際競争力がありますが、国内市場の利点や機会について英語で情報発信されていないため、透明で開かれた市場ではないと海外投資家に思われ、日本市場自体の国際競争力が失われていっている点も改善が必要です。

世界への投資——世界のニーズに応える能力をもっているか

　海外展開すべき日本国内のPPP／PFI市場整備の課題に加え、海外にモノを売る時代からインフラに投資する時代に変化するなか、海外展開には資金調達からトップセールスまで、非技術的要素が重要な要素となっており、この点で日英欧が協力できる分野は広がっています。日本政府は、インフラ事業を比較的長期にわたりファイナンスする仕組みとして、民間投資の

呼び水として、財政投融資や政策投資銀行、国際協力銀行等が多様なメニューを用意しています。インフラの必要な分野として、高速鉄道、道路、LRT（Light Rail Transit）や地下鉄等鉄道、水道、下水、再生エネルギー、石炭火力・天然ガス発電、原発、送電線等、スマート・シティ事業などがあります。

日本への投資──規制改革、日EU EPA／TPP、情報発信とオリンピック・パラリンピック

　日本における新たな投資とファイナンス機会について、英国と比較しながら議論が行われました。規則を単純化し、規制の障害を緩和し、民間セクターを巻き込むイニシアティブを行う必要があります。そもそも英国のAction JapanがEUの対内投資をオープンにした歴史があり、投資の呼込みは自由貿易の進展のためにも重要です。貿易・投資でのアジアや英欧との協働と情報発信力の強化が重要です。アベノミクスは改革か新たな規制の導入かと日本の規制改革に懐疑的な見方がある一方、日本市場のビジネス環境の強みを生かし、アジア市場へ展開していっており、外国投資家と日本企業の間でのpartnershipsとcollaborationも盛んになってきています。2020年東京オリンピック・パラリンピックに向け、長期的な事業運営力を高め日本への投資を促進する必要があります。

日本は単純明快、柔軟で規制緩和され、
世界に開かれた制度をもてるか

英国VIAIT JAPAN大使のマーチン・バロウ氏は、研究討論会のなかで、規制の緩和と単純化は、ヨーロッパのなかで英国が先頭に立って常に改革を進めていることで、複雑さに慣れ親しむ危険、KISS＝Keep It Short and Simpleを学ぶ重要性について以下を紹介しました。

The Need to Reduce and Simplify Regulation:
"The Dangers of Comfort in Complexity"（November 2013）

- It is critical that the Government takes a very firm stand on reducing the flood of regulation in almost all sectors, both in terms of the number of regulations and, most importantly, in the way they are presented.
- There continues to be a trend towards more and more paper on regulatory issues and Top Management/Boards/NEDs spend more and more time on these aspects rather than the overall strategy or supporting particular initiatives in the business.

- By flooding Top Management/NEDs with more and more compliance material, there is a real danger that they miss something important or critical that is lost in the detail. IE THICKER MANUALS INCREASE RISK, NOT REDUCE IT.

- Tough rules and laws are of course required in all sectors but short sharp checklists should replace a lot of prose and that will help all concerned watch out for what is critical.

- Governments and others should be seen to make a cost/benefit analysis, so as to determine whether the regulation proposed truly meets the objectives intended, at a cost less than that which it seeks to replace.

- There is a critical need to re-learn the "art of precis" so that all regulations are short and sharp: ie learn to K I S S ! (keep it short and simple).

- This issue spreads across all almost sectors in Government and Business: Aim for quality not quantity!

- Regulatory material should be better laid out with less wasted space on each page and elimination of large logos etc.

- A good start has been made by the Department of Education who have cut the health and safety guideline to schools from 150 to 8 pages. Everyone will read 8 pages, while 150 ends up on the top shelf!

- Too many consultants, lawyers, accountants, and academics have got involved in producing long winded documents, with too much prose, and indeed some charge by the quantity of paper they produce!

- Govt and Business must cease the use of over-complex power-point presentations which often lead to poor decision making. A pre-read paper is essential!

> ・Remember some comparisons!!:
> a) The Lords Prayer : 71 words
> b) American Declaration of Independence : 179 words
> c) EU Regulation on Exportation of Duck Eggs: 28,911 words

　チャタムハウスは、2014年8月31日名古屋において、第9章で述べるCIIE.asiaと共催で、「日本復活を本物に：国際競争力〜変化するアジアでの日本の（産官学の）新たな役割〜」と題するパネルディスカッションを開催し、Session 1で、変化するアジア太平洋における日本の政府の新たな役割を考えるなか、特に、研究討論会Ⅳ「日本は世界に投資・貢献し世界の投資を呼び込めるか」についての議論を行います。また、10〜11月にはブリュッセルで、日本と英国ヨーロッパの対話として、投資に焦点を当て、日EUのEPA交渉上の論点、グローバル・サプライ・チェーンを守る日EU協力やインフラ投資について議論を行い、英国からみた日本の最大のチャレンジとして、日本が、単純明快、柔軟で規制緩和され、世界に開かれた制度をもてるか、世界、アジアにおいて日本が、これらのチャレンジを克服し、真に国際競争力をつけて、アジアをリードしていくために何が最も必要か議論し、日英欧との対話を通じ、実践研究を続けていきます。

第7章

総括：
アベノミクス、
構造改革と国際競争力

〈甘利大臣の基調講演〉

§7.1 チャタムハウスのロビン・ニブレット所長の挨拶

The 'Return' of Japan:
　Abenomics, Structural Reforms and Global Competitiveness - A Dialogue with Europe -
～from Chatham House to the world～
（日本復活を本物に：
　アベノミクス、構造改革と国際競争力
　－ヨーロッパとの対話－
～チャタムハウスから世界へ～）

と題する日本に関する一連の事業・研究を、昨年（2013年）7月に日本から迎えた客員研究員御友重希氏を中心に、国際経済部長パオラ・サバッキ氏のチームが行い、金融センター、高齢化・医療、コーポレート・ガバナンス、インフラ投資の4回の研究討論会を経て、本日の総括討論に際して、アベノミクスの担当大臣である甘利明大臣を基調講演に迎えられることを大変光栄に思います。OECD加盟50周年を記念し、日本を議長国として行われた5月6・7日の閣僚理事会に安倍首相と出席され、東日本大震災からの復興やアベノミクスの取組み、課題と将来について加盟国と共有し、ロンドンに入られました。

本基調講演前のジャパン・ソサイエティのワーキングランチでも話が出ましたが、2012年末の安倍晋三首相の登場は、それまでのデフレ体質を引きずってきた日本の政治経済情勢を一変

させました。政治的意思とモメンタムが日本の政治を動かし、金融政策から始まって経済を動かし、世界に日本の変化を印象づけました。安倍首相は"Japan is back"（日本復活）の表現で宣言し、世界の日本への意識（consciousness）と関心（interest）を復活させることに成功しました。2013年6月19日チャタムハウスが共催して、ロンドンのシティのギルドホールで行われた安倍首相のスピーチを私も聞きましたが、高齢化、財政、医療についてご自身の体験に基づき説得力がありましたし、つい先日2014年5月1日に同じ場所で開かれたスピーチでも、「成長のあくなき追求と財政健全化の同時達成」「growthとausterityのポジティブなスパイラル」を目指すと、政治経済から外交防衛に至る広範な日英協力に触れながら、明確な政治的方向性と強い意思が伝わってきました。

そのアベノミクスの取組み、直面するチャレンジと将来について、担当大臣である甘利明大臣からご講演いただき、質疑応答をしたいと思います。

（Dr Robin Niblett, Director, Chatham House）

§7.2　甘利明経済財政政策担当大臣の基調講演

英国で伝統があり、全世界への情報発信力のあるチャタムハウスで、アベノミクス担当大臣として、世界に直接説明し議論する、こうした貴重な機会をいただきまして感謝申し上げます。

チャタムハウスにおいては、本年（2014年）1月から毎月、

アベノミクスで日本復活を本物にする鍵について、4回の研究討論会が盛況のうちに開催されてきたと聞いています。また、チャタムハウスが共催した昨年（2013年）6月の安倍首相のスピーチに、所長はじめ英国各界人が決意とメッセージを感じ、大きく動き出す日本や復活に向けた日本人の鼓動を感じたのが一連の企画の動機だったと伺っています。

　本日の総括をふまえ、今後、チャタムハウスは、新設されるアジア版チャタムハウスと共催で、日欧で討論し研究を深める予定と聞いています。本日は、アベノミクスの取組み、とりわけ、グローバル化する世界における安倍内閣の成長戦略についてご説明申し上げます。

アベノミクス 「三本の矢」

　安倍政権が誕生し、1年5カ月となります。もちろん、いまでも政権の最優先課題は、経済再生です。

　このため、安倍内閣としては、従来とは次元の異なる政策パッケージとして、「大胆な金融政策」「機動的な財政政策」「民間投資を喚起する成長戦略」の「三本の矢」を一体として取り組んできました。日本経済もアベノミクスの「三本の矢」によって、長く続いたデフレで失われた「自信」を取り戻しつつあります。

　GDPは5四半期連続でプラス成長し、民需を中心に着実に上向いてきました[1]。リーマン・ショック後、0.42倍まで落ち込んだ有効求人倍率は6年ぶりに1倍台を回復しました。直近

の公表結果では、賃上げ率は2.14％[2]であり、過去10年の同時期比でみて最高水準です。近年にない賃上げの動きが力強く広がっていると認識しています。

アベノミクスの「三本の矢」によって、日本経済を成長路線に導き、日本が世界経済の牽引役に復帰することが重要であると考えています。

こうしたなかで、経済再生が財政健全化を促し、財政健全化の進展が経済再生の一段の進展に寄与するという好循環の実現を目指しています。経済対策を講じたうえで、4月に、消費税率を5％から8％へ引き上げました。「中期財政計画」で掲げられた2015年度までに、国と地方の基礎的財政収支赤字の対GDP比を2010年度比で半減し、2020年度までに黒字化するとの目標の実現を目指して、今後も努力していきます。

研究討論会Ⅰ～Ⅳでも議論されたように、持続的に経済が成長するためには、2013年に策定した「成長戦略」の着実な実行によって、民間企業や個人がフルに実力を発揮できる環境をつくることがきわめて重要です。本日は、皆様に、「アベノミクスで日本は変わろうとしている。いや、すでに変わり始めている」と確信してもらえるよう、その最新の取組状況についてお話したいと思います。

1　2014年6月9日に公表された2014年1－3月期GDP速報（2次）では、前期比年率6.7％増と6四半期連続のプラス成長となった（8月13日には4－6月期GDP速報（1次）の公表が予定されており、民間予測でマイナス成長が見込まれている）。
2　7月上旬に連合より最新の数字が公表される見込み。

成長戦略の特徴・これまでの主な動き

　安倍政権の成長戦略の特徴の1つは、施策のパッケージとしての「成長戦略」を策定することがゴール（終着点）ではなく、スタートであるということです。総理の強力なリーダーシップのもとで、毎年進捗状況をチェックし、進捗が芳しくない場合には、その理由を究明し、追加的な措置を講じることとしています。成長戦略が進化し続けます。

　成長戦略のもう1つの特徴は、克服すべき社会課題を新たなフロンティアにしていくことです。少子高齢化やエネルギー制約、インフラの老朽化など世界共通の課題に対して、それを逆手にとって新たな成長の分野として位置づけます。日本が先駆けて取り組み、解を見出すことにより、新たな市場を創出するとともに、世界に処方箋を提示します。

　昨年（2013年）6月に、構造改革のパッケージである「日本再興戦略」を策定しましたが、その後、そこに盛り込まれた施策を一刻も早く具体化し、実行に移すことを重視して取り組んできました。

　まず、昨年秋の臨時国会で構造改革を実現するための9つの重要法案を成立させました。今年（2014年）1月からの今国会にも、30本程度の関連法案が提出され、順次成立しているところです。

　すでに成立した法律に基づき、規制改革の突破口とするため、国家戦略特区等の画期的なシステムが創設されました。

　国家戦略特区は、先日（2014年5月）、具体的な地域を指定し

ました。オランダのフードバレーやデンマークのメディコンバレーのように、集積産業の国際競争力で世界トップ5に入る地域をつくるという理念のもと、地域は6つに厳選しました。特区内の企業は、容積率規制、病床規制、農地規制、公設民営学校に対する規制等、積年の課題から一気に解放されます。さらに、指定された地域では、国・自治体・企業が三位一体となって、さらなる規制緩和の提案を含む事業計画の具体化に向けた議論を進めているところであり、早ければ夏までに事業計画が示される予定です。

このように、成長戦略については、すでにさまざまな分野で具体的な成果が生まれつつあります。以下では、いくつかの分野におけるこれまでの成果と今後の検討方針をご紹介します。

これまでの主要な成果と今後の検討方針

(1) 国際展開戦略

日本は、これからますます、グローバルに深く組み込まれた経済になります。TPP（環太平洋パートナーシップ）は、21世紀型の新たな経済統合ルールを構築し、1つの経済圏を形成する野心的な試みです。TPP交渉に参加している12カ国のGDPの合計は、世界の4割を占めます。米国との厳しい交渉の結果、日米間の重要な課題について前進する道筋が特定されました。これは、TPP交渉におけるキー・マイルストンとなるものであり、交渉全体に新たなモメンタムをもたらすことになります。現在、他の国々と厳しい交渉を行っているところですが、

早期の交渉妥結へ向け最大限努力していきます。

現在、日本とEUの間ではEPAが交渉中であり、また、EUと米国との間では、環大西洋貿易投資連携協定（Transatlantic Trade and Investment Partnership, TTIP）が交渉中です。日本・EU・米国の間で経済連携を推進することによって、世界全体の貿易・投資のルールづくりを進めたいと考えています。また、日本は、東アジア地域包括的経済連携（Regional Comprehensive Economic Partnership, RCEP）にも参加しており、RCEPを通じて、貿易・投資のルールづくりを東アジア地域にも広げていきます。

(2) 国内への投資促進

① 内なるグローバル化

日本国内のイノベーションを促すためには、国内のグローバル化を徹底的に進めることが重要です。

世界の優れた技術や人材を日本に惹きつけ、イノベーションを通じた成長を実現するため、対日直接投資の促進に全力をあげて取り組んでいます。

② 法人税引下げ

法人実効税率は、復興特別法人税を1年前倒しで廃止することにより、本年（2014年）4月より2.4%引き下げられましたが、依然としてOECD諸国の平均よりも高く、国際的にみれば高水準です。さらなる法人税改革実現に向けて、世界で企業が最も活躍できる国を目指す等の観点から、現在、専門的な議論を行っているところです。

③ 対日直接投資促進

　対日直接投資残高を2020年までに35兆円へ倍増させることを目指し、JETROに加え在外公館も動員して対日投資案件の発掘・誘致活動を行うとともに、総理・閣僚レベルのトップセールスをより積極的に行うこととしました。

　また、2014年4月25日には、閣僚級の「対日直接投資推進会議」を立ち上げ、対日投資の促進のために必要な制度改革の実現に向けて、関係大臣や関係会議における取組みを促していくこととしました。日本は英国からの直接投資を大歓迎しています。ぜひ、日本に投資していただきたいと思います。

④ 高度人材受入推進

　高度人材の受入促進については、2012年5月より出入国管理上の優遇措置を付与した「高度人材ポイント制」を導入し、昨年（2013年）12月には同制度の認定要件の緩和や優遇措置の見直しを行い、年収要件を緩和するとともに、親や家事使用人の帯同が認められる範囲の拡大等を行いました。また、同制度対象者の永住許可要件としての在留歴の短縮などを盛り込んだ入管法の改正案が今国会に提出されており、早期成立に努力しています。

⑤ 女性の活躍促進

　「女性の活躍促進」は、安倍政権の成長戦略の重要テーマの1つです。日本経済を持続可能な成長軌道に乗せるためには、女性の力を最大限発揮させることが必要です。すでに、安倍政権発足後1年で女性の就業者数が53万人増加しました。

母親が子どもを安心して預けて仕事に出られるようにするため、2017年度末までに40万人分の保育の供給を確保します。

⑥ GPIFの運用等の見直し、企業統治強化

世界最大規模の年金資産の運用方針が大きく変わります。約130兆円の資金を保有する年金積立金管理運用独立行政法人（GPIF）は、日本国債中心のポートフォリオを見直す予定です。

生産性を向上させ、企業収益を高めるため、コーポレート・ガバナンスを強化するための仕組みを構築することも重要です。

機関投資家が受託者責任を果たすための原則である、スチュワードシップ・コードの日本版を策定しました。機関投資家には、議決権を行使することで、投資リターンのみならず日本企業の中長期的な価値を向上させることが求められます。

また、攻めの企業経営を後押しすべく、社外取締役の導入を促す会社法改正案が国会で審議中です。すでに、大企業では社外取締役を先行導入する動きが活発化しています。

(3) 課題を解決し新たな市場を創造

① 医療分野の構造改革

国民の健康長寿へのニーズと社会保障の持続可能性を両立させるためには、公的医療保険外サービスの活性化を図ることが重要です。

先進的な医薬品等を迅速に使用できるように、関連する制度の見直しを行います。すでに昨年、先端医療の評価の迅速化・効率化を推進する仕組みを構築し、公的医療保険診療とあわせ

て受けられる先進医療の対象範囲を大幅に拡大すべく、まずは抗がん剤に適用しました。今年度中に、再生医療や医療機器についても適用する予定です。

② 農業分野の構造改革

日本の農業を強くするためには、農地集積による生産性向上が何よりも重要です。「農地中間管理機構」を創設することで、企業等の新たな担い手が大規模農業へ参入しやすくなります。

さらに、「減反」として知られる米の生産調整制度を廃止します。これによって、生産者自身が、市場の需要を見定めながら、自らの判断で生産を決定するようになります。こうした市場原理の導入は、必ずや農業の足腰を強くします。

最後に

このように、わが国産業競争力を強化するためのあらゆる方策に取り組んでいるところですが、最後に、先日、私が自らのプランとして提案した、日本をイノベーション大国として復活させるための改革戦略についてご紹介します。

このプランは、革新的な技術シーズの創出力を強化し、産学官からなるオープンなイノベーションを推進するとともに、これらの技術シーズを民間企業による迅速な事業化に結びつけるための「橋渡し」機能を強化するものです。

特に、この改革の中核は、大学や大学院の改革とあわせて産学の「橋渡し」機能を担う公的研究機関の機能を強化すること

です。ドイツの「最も魅力的な職場ランキング」のナンバーワンをご存知でしょうか。BMWでもPorscheでもなく、産学の「橋渡し」を行う公的研究機関・フラウンホーファー協会です。

大学との人的資源の共有、マーケティング人材の育成、企業からの研究受託と企業への技術移転等、同協会の取組みには、日本の公的研究機関が見習うべきヒントが多くあります。今後、こうした例も参考にしつつ、制度の具体化を検討してまいりたいと思います。

政府や日銀の直接的なアクションである第一の矢や第二の矢に比べ、民間経済を成長軌道に乗せようとする第三の矢は、効果が発現するのにより時間がかかり、その成果についても理解されにくい部分があります。本日お集まりいただいた皆様には、成長戦略がさまざまな分野で着実に成果をあげつつあることを、少しでも実感いただけたことを願います。

年央には、本日ご紹介したいくつかの施策を含む各種改革を盛り込み、成長戦略の改訂がなされる予定です[3]。その内容は、日本の構造改革に向けた取組みを注視している人々にとっては、印象的（impressive）なものになることは間違いありません。引き続き、「アベノミクスで変化する日本」に括目していただきたいと思います。

(Mr Akira Amari,
Minister of State for Economic and Financial Policy, Japan)

---

3 2014年6月閣議決定。

§7.3　総　括

　甘利明経済財政担当大臣の基調講演に先立ち、大和日英基金事務局長ジェイスン・ジェイムズ氏（Mr Jason James, Director General, Daiwa Anglo-Japanese Foundation）を議長として、第3～6章で述べた研究討論会 I～Ⅳの「日本復活を本物に」する鍵についての議論の総括とアップデートが行われました。基調講演の後には、これらのアップデートをふまえ、日本格付研究所の内海孚社長を皮切りに、日本の経済社会の将来とその改革であるアベノミクスの将来について議論が行われました。

　また、ジャパン・ソサイエティ会長で元駐日大使のディビッド・ウォーレン氏が挨拶に立ち、①同氏が日本に赴任していた2012年までと安倍首相が登場して以降とでは、日本の政治経済情勢が一変したこと、②2014年5月1日の首相のスピーチから政治経済から外交防衛に至る広範な日英協力、「日本復活を本物に」する明確な政治的方向性と強い意思が伝わってきたこと、③研究討論会 I～Ⅳのテーマである金融センター、高齢化・医療、コーポレート・ガバナンス、インフラ投資は、日本に以前からある最も重要なチャレンジであり、ジェイスン・ジェイムズ氏の議長のもと、しっかり議論・総括されることを期待する旨を述べられました。

図表7－1　アジェンダ

> **The 'Return' of Japan: *Abenomics*,
> Structural Reforms and Global Competitiveness
> A Dialogue with Europe**
>
> PROJECT CONCLUSION AND SUMMARY LAUNCH
> EVENT
>
> *Wednesday, 7 May*,
> Chatham House, 10 St James's Square, London SW1Y 4LE
>
> Agenda
>
> **Opening remarks**
> **Sir David Warren**, KCMG, British Ambassador to Japan (20082012), Chairman, The Japan Society in London
>
> **Panel discussions**
> *Chair*: **Jason James**, Director General, Daiwa Anglo-Japanese Foundation
>
> Session 1 – **Financial markets and investment in Japan Can global mega-city Tokyo become a world financial centre in the Asia-Pacific as London is in Europe?**
> *Speaker*:
> **Mark Partington**, Partner, Serone Capital Advisory Services Ltd.
>
> Session 2 – **Medical and pharmaceutical markets and ageing societies in Japan and Europe**
> *Speaker*:

Sir Graham Fry, KCMG, British Ambassador to Japan (2004-2008)

Session 3 – **Corporate governance and code of conduct reform in Japan, including a comparison with Europe**
Speaker:
Yuuichiro Nakajima, Managing Director, Crimson Phoenix Ltd.; Director, J.P. Morgan Japan Smaller Companies Trust plc

Session 4 – **Investing in infrastructure and boosting growth in Japan and Europe**
Speaker:
Hiroyuki Kato, Chief Executive Officer, Member of the Board, Development Bank of Japan Europe Ltd.

Welcome Speech
Robin Niblett, Director, Chatham House

Keynote Speech and Q&A
Akira Amari, Minister of State for Economic and Financial Policy, Japan

Session 5 – **The 'return' of Japan: Abenomics, structural reforms and global competitiveness – a dialogue with Europe**
Speaker:
Makoto Utsumi, President and CEO, Japan Credit Rating Agency, Ltd., former Vice-Minister of Finance for International Affairs (1989-1991)

Closing remarks

> **Jason James**, Director General, Daiwa Anglo-Japanese Foundation

　ロンドンでの研究討論会Ⅰ～Ⅳと総括発表会は、チャタムハウスに日英欧の専門家が会し、日本と世界の将来について、独立した聖域なき議論をする、まさに日英の知の国際交流が行われました。さらにチャタムハウスはアジア太平洋の日本やヨーロッパに場所を移して、CIIE.asia（§9.3で後述）と共催で、東京でのチャタムハウス公式研究討論会パネルディスカッション（§8.2）、ブリュッセルでのチャタムハウス公式研究討論会パネルディスカッション（§8.3）、名古屋でのチャタムハウス公式研究討論会パネルディスカッション（§9.4）というように、日欧の対話、日英の知の国際交流、実践研究が続けられていきます。

§7.3.1　研究討論会Ⅰ——日本は世界やアジアの金融センターでいられるか
〜日本の金融市場と投資／アジアの金融センターとしての日本・東京〜

　サロン・キャピタル・アドバイザリー・サービス社のパートナーのマーク・パティントン氏（Mr Mark Partington, Partner, Serone Capital Advisory Services Ltd.）が研究討論会Ⅰの議論を総括した後、国際協力銀行渡辺博史総裁（元財務官）やブラックロックMDディビッド・グラハム氏のあげた点を参考に、日

本・東京は世界的に大きな金融センターだが、世界やアジアのプレイヤーが参画する国際金融センターになるために必要な七つの視点を提示しました。

① ダイナミックな投資……外資系損保が積極的に投資をし一定の成功をしているが、1990年代の「飛ばし」やオリンパス、ノンバンクのスキャンダルの印象のみが残っており、主要な外資系銀行、何より外資系証券会社の東京での活動がいまだ活発ではない。

② 金融商品のイノベーション……日本の大手証券会社はロンドンやニューヨークで新商品を積極的に売り出しているが、日本ではリスクをとる文化がなく、東京では新商品が少ない。アベノミクスの年金基金の活用が注目される。

③ 英語……香港・シンガポールに比べ、圧倒的に英語環境が少ない。

④ 税制……法人税は下げられるが、個人所得課税も英米と水準・仕組みが違う。

⑤ 地震……地震をはじめとした自然災害、それに伴う福島第一原子力発電所のような原発事故のリスク・マネジメントに不安がある。

⑥ 資本やリスクへの嫌悪……日本では敵対的M&Aは制度上可能でも成功例は少なく、「社会的」「文化的」に資本やリスクに対する理解が低い。

⑦ 金融サービスの多様性……金融に関するプロフェッショナル・サービスの種類が少ない。

そのうえで、「英国は官民あげて国際金融センターをつくりあげようという、DNAのような意思があるが、日本にはその意思が感じられない」「そもそも国際金融センターとなるべきなのか」、との問題提起がなされました。

　たとえば、ロンドンのような国際金融センターになること自体は、2020年に向けチャンスもあるが、もし成功してポンドのように円が高くなれば、日本経済全体にとってリスクとなる面も指摘されました。

　英語や地理的な時差など、東京が克服できない課題も重要な要素となっているだけに、「無理にロンドン型を目指すべきではない」との意見や、「東京の背後にある巨大な日本経済の存在ゆえに簡単・柔軟に制度等の変更がしにくい」ことに加えて、「高齢化し財政制約があるなかで税制優遇にも限界がある」との指摘がありました。一方、「ロンドン型のいわば金融のための金融センターは、リーマン・ショック後世界的に見直されつつあるモデルであり、それを範とするのではなく、日本や東京の金融センターの特徴（国債中心の巨大な債券市場の存在、間接金融中心の産業構造など）をふまえ、これを生かした金融センターを目指すべき」との意見や、日本は円の市場であること、巨額の日本国債市場があること、日本の投資家は文化的にリスクをとりたがらないことなどをふまえ、「情報産業として情報発信力を高めつつ、インテリジェントでペイシェントな投資家を市場とともに育てていくべき」などの意見が出されました。

§7.3.2　研究討論会Ⅱ──日本は高齢化のチャレンジをチャンスにできるか
〜日本・ヨーロッパの医療・医薬品等市場と高齢化社会の克服・活用〜

　元駐日大使のグラハム・フライ氏（Sir Graham Fry, KCMG, British Ambassador to Japan（2004-2008））が研究討論会Ⅱの議論を総括した後、英国の医薬市場の課題として、研究開発投資、法人税引下げ、NHS（英国民保健サービス）における医療技術の向上、日本の医療保険が行っている市場を利用した薬価の引下げや価格キャップ制によるコスト引下げなどについて議論されました。そのなかでは、日本の医薬市場の課題として、改善しつつあるドラック・ラグ（新薬認承の遅延）よりも、規制緩和、研究開発税制、NHSが展開している資金・人材の産学連携、EUとのEPAやTPPによる規制改革などをあげられました。さらに追加の視点として、

① 世界的に医薬業界ではM&Aが盛んだが、日本市場では低調で、敵対的TOBは成功例がなく、この点、国際競争力強化ができるか心配
② 日米欧三極の議論はあったが、中国など新興市場国の成長市場も重要。研究開発後の特許など知的財産の問題もある
③ 何より医薬の問題は、世界の患者の視点、患者にとっての利益や利便性の向上の視点を忘れがちだが、これが中長期的に最も重要

と指摘されました。

また、研究討論会Ⅰとも関連し、日本市場は「M&Aが産業構造を淘汰・再生する機能を発揮していない点を改善する必要がある」との意見、「日本のR&D投資は世界有数というものの医薬市場では特に、産学連携が途上で、基礎研究のR（研究）はやるが、医薬のD（製品開発）にうまくつながっていない問題がある」との意見、逆に「東洋医薬や医食同源のアジア、日本の考え方も英米ヨーロッパの医療には重要であり、日本はこうした情報発信をすべき」との意見が出されました。

§7.3.3 研究討論会Ⅲ ── 日本は世界に開かれた会社・家庭・社会をもてるか 〜日本のコーポレート・ガバナンスと行動規範改革／世界に開かれた競争力ある企業の統治方式、会社、家庭、地域社会の行動様式〜

Crimson Phoenix 中島勇一郎代表のプレゼンテーション（Mr Yuuichiro Nakajima, Managing Director, Crimson Phoenix Ltd.; Director, J.P.Morgan Japan Smaller Companies Trust plc.）が研究討論会Ⅲの議論を総括した後、その他の視点として、

① OECDがコーポレート・ガバナンス基準を改定しているように、特にリーマン・ショック後、世界が改革を行っている
② ガバナンスだけでなく、企業価値や国際競争力を高めるとの視点が重要
③ マクロだけでなくミクロの問題、たとえば、日本の投資家はリスクをマネッジしたりとったりすることをしない、環境

や社会への貢献の視点が低い点も重要
④　日本は効率的・効果的なガバナンス構造をもっているわけではなく、研究討論会Ⅲで議論したアベノミクスの第三の矢などによる改革が必要である
⑤　よいコーポレート・ガバナンスは、国際競争力を高めるもの
と指摘されました。

　そのほか、日本では企業、投資家その他のステークホルダーの間で、1980年代にはあったはずの、何がよいガバナンスかという合意がなくなってしまっているとの意見もありました。

　研究討論会Ⅲの議論でも、金融庁をはじめ日本政府は、日本企業のガバナンスをより英米アングロサクソンの基準に近づけようとしていることに焦点が当てられました。たとえば、日本のいいところを残すべきとの議論もあるが、2020年の東京五輪に向け、日本全体が世界に開かれた競争力ある企業の統治方式、会社、家庭、地域社会の行動様式を目指しているように思われるとの意見、コーポレート・ガバナンスにはM&A等エクイティーを含めて市場原理と一貫したルール・ブックが必要との意見、米国型ガバナンス、欧州型ガバナンス、日本型ガバナンスがあるなか、日本は現状、米国型＋日本型だがうまく機能していない面があり、アベノミクスが試みているように、欧州型＋日本型がうまく機能するか検討してみるべきとの意見が出されました。

§7.3.4 研究討論会Ⅳ──日本は世界に投資・貢献し世界の投資を呼び込めるか
～日本・ヨーロッパのインフラ投資と成長戦略／世界への投資・貢献、世界からの投資の呼込み、世界と日本の雇用、技術革新等への貢献～

DBJヨーロッパCEOの加藤裕幸氏（Mr Hiroyuki Kato, Chief Executive OfficerçMembePr of the Board, DBJ Europe Limited）が研究討論会Ⅳの議論を振り返ったうえで、日本のインフラ投資に海外の事業者や民間資金を呼び込むための課題を総括しました。

① 日本では所要インフラ投資額の増加が見込まれるが、PPP／PFIを活用して海外から事業者や投資家を呼び込むためには、契約など仕組みの標準化が必要。

② 複雑で透明性を欠く規制が投資家にとって資本コストを上昇させており、オリンピック向け投資など大規模プロジェクトが存在するにもかかわらず海外企業や投資家の参入をむずかしくしている。

③ 日本のPPP／PFIは公共施設を低コストで供給することにフォーカスしてきた結果、民間セクターによるリスクシェアやマネジメントスキルの活用が不十分だった。投資家を惹きつけるためには、法改正を受けて導入されるコンセッション方式の活用などにより、いわゆる value for money という軸を取り込むことが不可欠。

④ PPP／PFIプロジェクトのパイプラインを開示することは

投資家が投資機会を検討するために有益。日本のPPP／PFI市場はいわゆる需要リスク型が大半であるが、availability型がより一般的になってくれば年金など長期の機関投資家がより投資をしやすくなる。
⑤　日本に限らず欧州でも同様だが、短期的には過剰流動性を背景に銀行が超長期のインフラファイナンスに積極的であり、年金などと競合する状況が発生している。

　他の研究討論会でも言及されましたが、一般的に日本市場は海外からの投資家や事業者にとって独特で透明性に欠ける規制やビジネス慣行がチャレンジングである、といわれています。実際、海外企業が日本でビジネスを始めてみるとそうした障害（Impediments）に直面するのは事実であり、アジアのインフラ市場では海外インフラ関連企業が日本の事業者や投資家と協働することが容易であるにもかかわらず、日本のインフラ市場そのものにはなかなか参入できていないことが指摘されました。

　そして、高いビジネスコスト、複雑な法制度・規制や煩雑な事務手続、国内外の制度に精通した弁護士や税務アドバイザーといったプロフェッショナルの不足などに対処する構造改革こそが、インフラ投資の活性化と日本市場全体の国際競争力維持のための鍵となるとの見解を示しました。

　このほか、「日本市場にはリスクをとる投資家が少ないし、リターンも低い。日本企業であっても国内よりもアジアに対する投資の利益で稼いでいるところも多く、投資を呼び込む仕組みが重要」「PPP／PFIは政府が債務のオフバランス化するた

めではなく、公共サービス提供コストを市場原理で押し下げる目的がある」「そのために日本国内のインフラプロジェクトも透明で世界に開かれたものにすべき」との意見が出されました。

§7.3.5　総括——日本復活を本物に：アベノミクス、構造改革と国際競争力—ヨーロッパとの対話—～チャタムハウスから世界へ～

　最後のセッションでは、「日本の経済社会の将来とその改革であるアベノミクスの将来について、日本は、巨額の個人金融資産があり、投資できる現金があり、健全な金融システムがあり、外貨準備もあるなど強固な側面もあるが、世界の資本移動や為替、TPPやEPAなど貿易交渉、これまで日本の輸出を支えてきた電機などの技術優位性や国際競争力の低下に伴い、外的ショックに脆弱な構造となっている」との意見、「高齢化のなか、1％でも成長率を上げる必要があり、そのためにはリスクをとって高いリターンを求める企業や家計の行動を促す改革が必要」との意見、「財政赤字に加え、日本の輸出産業の競争力低下によって貿易収支も赤字となってきており、大幅な移民受入れがむずかしいなか、日本企業は海外に出て資本収支で稼ぐしかなくなっている」との意見、「アベノミクスが第一の矢の金融政策変更による海外投資家の日本買いから始まったところ、第二の矢は財政政策による需要刺激策で国債は積み上がっており、円、株、債券それぞれの市場で、海外投資家たちが日

本売りのタイミングを見計らっており、日銀の出口戦略開始、経常収支赤字転落、消費税引上げ延期など、その引き金は多く、非常にリスクの高い状態にある」との意見、「外交安保問題からTPP交渉の動向までさまざまな要因が引き金になる」との意見、「高齢化の国内市場の構造改革だけで2％の成長を達成するのは無理で、TPPなど海外からの投資を呼び込むことで成長率を高めることが不可欠」との意見が出されました。

第8章

ヨーロッパ・英国との対話から／世界への発信・貢献と国際競争力
――大震災からの復興・防災、
　東京五輪に向けた世界戦略

§8.1　ヨーロッパ・英国との対話

日本最大の課題は世界の課題

　世界と「日本復活を本物に」する鍵を考えるため（第2章）、日本経済社会の芯として抽出した一連の議論のテーマは、どれも日本の「最も大きなチャレンジ」で、第1回（第3章）「いかに世界やアジアの金融センターでいられるか」に続き、第2回（第4章）は「世界に先駆けた超高齢化社会を財政、医療等がいかに克服、活用できるか」、第3回（第5章）は「いかに世界に開かれた競争力ある企業の統治方式、会社、家庭、地域社会の行動様式をもつか」、第4回（第6章）は「世界に投資し、世界の投資を呼び込み、いかに世界の経済社会、日本の雇用、技術革新等に貢献できるか」でした。これらはすべてヨーロッパ、そして世界が格闘しているチャレンジそのものであり、それらの問題の所在と方向性を浮彫りにしていきました。

　第3章〜第6章で紹介した4回の研究討論会で、どの程度深く、独立した聖域なき議論を行うことができ、最も重要な事実と論点、実践の鍵などを絞り込むことができているのか、読者の皆様はどうお感じになられたでしょうか。

　チャタムハウスでは、第7章の総括発表会のように、甘利大臣など課題の鍵となる責任者に最新の事実をスピーチしていただき、質疑・応答、総括をしたり、これを本書のように書籍に

まとめたりするなど、終わりなき研究活動を続けていきます。そして、その過程で明らかとなってくる事実や論点に基づき、同時に、第8章の東日本大震災から東京五輪に向けた世界戦略、第9章で述べる、変化するアジア太平洋における産官学の新たな役割とCIIE.asia（アジア太平洋 日英 知の国際交流センター）での共働のように、まったく新たな切り口で、より実践的な研究討論会やセミナーなどを企画立案、実施していくことで、チャタムハウスは、世界において、情報の求芯力と発信力を高め続けているのです。

震災は最大のチャレンジ、オリンピックは最大のチャンスか

　震災は最大のチャレンジ、オリンピックは最大のチャンス、というのが、世界で日本にあまり関心のない人でも考えていることです。日本経済社会の復活を考える際にも、震災やオリンピックといった日本が経験し、今後経験する最大の課題を日本がどう受け止め、整理・理解し、世界に発信していくか、今回の研究討論会でも議論となりました。

　特に東日本大震災のような未曾有の震災は、起きてから対処し復旧・復興に取り組む課題ですが、次なる自然災害への防災となると、期限を決めて、その時までに対策を重ねていくものです。世界は、日本が直面した東日本大震災に対し、世界が直面したチャレンジとして、支援の手を差し伸べてきてくれました。何か「お返し」ができないものか……。世界が求めているのは、日本が復旧・復興を進めながら、次なる自然災害への備

えを進めるなかで、最大のチャレンジとチャンスは何か、世界的課題として日本からのインプットやベストプラクティスです。

　被災地では、震災は忘れたいもの、悲しい痕跡をなくしたいもの、そしてオリンピックはヒト・モノの値段を上げて復興予算執行を邪魔する懸念のあるもの……といった側面があります。世界からみれば、震災は世界の震災で、悲しい痕跡は人類が決して忘れることのないように残すべきもの、そして、オリンピックは、世界からみれば、被災地のヒト・モノ・カネなど海外から導入するなどしてでも、被災地も含めた全国で、支援の「お返し」をして、世界からのお客さんが本当に喜ぶような「おもてなし」をいかにするか、最大のチャンスでありチャレンジだと考えています。

　そしてオリンピック・パラリンピックを主催する日本・東京にとっては、これを一過性のスポーツイベントだけにしてしまうには、あまりにもったいない、最大のチャンスであり、同時にこれを東京だけでなく被災地も含めた全国でボランティアが主体となって運営し、その後の国際会議や防災などにも活躍する仕組みをいかにつくれるかが、最大のチャレンジです。

§8.2 チャタムハウス公式研究討論会パネルディスカッション（東京）

東京五輪に向け日本復活を本物に／
日本の魅力「おもてなし」世界戦略
〜東日本大震災に対する世界の支援の「お返し」として〜
日英欧の対話
（THE 'RETURN' OF JAPAN for Tokyo Olympic &
Paralympic Game 2020：
The Global Strategy for ATTRACTIVE JAPAN
"Omotenashi"
− in return for international assistances received in
response to the Earthquake Disasters −
A DIALOGUE WITH THE UK & EUROPE）

ヨーロッパ・英国との対話から、大震災からの復興・防災、東京五輪を目標とした日本復活の本格化に向け、日本経済社会は世界といかに協働し、世界に発信・貢献し、これを日本の国際競争力強化につなげていくか。

チャタムハウスの国際経済チームは、上記の研究討論会パネルディスカッションを、第9章で述べる新設されるCIIE.asiaと共催で開催する企画をしています。これは、「日本復活を本物に」する鍵としてロンドンで4回行ってきた議論や研究成果に基づき、同時に、前節で述べたような議論を行いつつ焦点を絞り込んできたテーマです。大きく、ロンドン五輪での経験に

学び、震災からの復旧・復興・防災に取り組むボランティア活動の経験に学び、観光から生活、ビジネス、投資・金融に至る「おもてなし」の姿、日本の魅力を世界に情報発信する戦略のもと、日英で先行する取組みに学び、ロンドン五輪同様、東京五輪を一過性にせず、日本が本格的に復活し世界に貢献していくために必要な日本の魅力「おもてなし」世界戦略を英語で議論し、チャタムハウスの会員や英米をはじめ世界のメディアを通じて世界に情報発信します。

§8.2.1　Session 1：英国「おもてなし」とロンドン五輪での人々の連携

2012年ロンドン五輪の際の真の事実＝真実を知る人物、2020年東京五輪でリーダーシップをとる人物を招き、英語で議論し世界に発信していきたいと考えています。

まず、ロンドン五輪の時も東京五輪の時も、招致活動のコンサルタントを担当し、話題となった投票直前の高円宮妃久子様をはじめ、選手の皆様のわかりやすくインパクトとメッセージのある日本人離れしたスピーチを指導したニック・バレー氏（Mr Nick Varley, Seven46の創設者兼CEC）です。彼はメディア戦略の専門家であり、いま、日本復活を本物にする鍵は、情報発信力にあると確信している人物です。

そして、ロンドン五輪組織委員会から当時を最もよく知る人物を招聘しようと考えています。ロンドン五輪の際には、開催決定直後から、箱モノをつくる前に、ヒトのつながりをつくり

ました。全国からボランティアの募集が始まり、ホームページやソーシャルメディア上で緩やかに登録され、各人の専門性や自主性に応じた役割と責任を担える仕組みがつくられました。その結果、観光から生活、ビジネス、投資・金融に至る「おもてなし」として、ロンドン五輪を契機として、ロンドンはもとより英国全体の情報の求芯力が高まりました。その際にも、メディア・マネジメントが重視され、専門のコンサルタントの指導のもと、世界への情報発信が戦略的に行われたのです。

§8.2.2　Session 2：東日本大震災後、東京五輪に向けた全国・世界の連帯と希望

　2011年3月11日東日本大震災は、発生と同時に日本全国、全世界に衝撃的な映像が広がり、世界から支援が集まりました。英国でも、駐日大使経験者など日本に関心が高い日英の関係者によって100年以上前に設立されたジャパン・ソサイエティが、ローズファンドを募り、寄附をしました。その際、その配分を一手に任された地域創造基金みやぎ（さなぶりファンド）鈴木祐司理事をはじめ、震災ボランティアとしていまも復興に尽力しているボランティアの方々に集まっていただきます。

　震災復旧・復興の各段階におけるヒト・モノ・カネなど資源配分ごとの課題、次なる自然災害への備え、東京五輪を支えるボランティア組織・運営に向けた課題、ロンドンでの震災支援活動組織・運営の際の課題と日本での活動との違い等、最大の論点を抽出し、これを次なる防災対策や東京五輪での実践、意

思決定に生かします。また、この研究討論会が開催される頃には開始されている、自主的な民間の独立した実践的試みとして、ロンドンへのボランティアリーダー留学事業、ボランティア登録やソーシャルメディア事業を開始し、試行しながら課題を抽出しようという先行した取組みも紹介します。

§8.2.3　Session 3：日本の魅力「おもてなし」世界戦略——2020年に向け日本復活を支える事業

　「研究討論会Ⅰ：日本は世界やアジアの金融センターでいられるか（第3章）」でも議論しましたが、日本の魅力「おもてなし」を世界、特に英米欧の人々に英語で情報発信する際には、日本そして東京の国や都市として暮らす魅力、英語コミュニティ、学校、教会、ボランティア団体等の存在、特に家族が住みたくなるような魅力とその効果的な情報発信が不可欠です。こうした観点から、東京オリンピックは世界中から人々がスポーツ観戦のために来日し、関心を寄せる絶好のチャンスです。しかし同時にこれを一過性のものとして終わらせないために、日本を訪れ、生活し、ビジネスをする人々にとっての魅力、そうした人々を迎え入れる「おもてなし」の姿を世界に情報発信する必要があります。東京都の「ビジネスコンシェルジュ東京」や「日本版メイヤー」「東京金融シティ構想」、あるいは「ミシュラン・ガイド」のように、批評家キュレーターを使って「おもてなし」に星をつける"Japan Omotenashi.org"

をはじめ先行する取組みの経験と課題を共有し、東京五輪に向け情報発信し求芯力を高め、日本復活を本物にし、世界に貢献する戦略を議論します。

　それは研究討論会Ⅰの日本復活を本物にする鍵の1つである、日本・東京が世界やアジアの金融センターになるための鍵ともなってきます。さらに、研究討論会Ⅲで議論した、「日本は世界に開かれた会社・家庭・社会をもてるか」の視点からも、日本と日本人が国際競争力をつけるため必要最低限の変化を求めるうえで、すでにある米英ヨーロッパなど英語圏の人々に居心地のいい魅力ある場や視点を情報発信していくことは、実際に日本や日本人が変化するのと同様か、それ以上の効果があります。日本を訪れ暮らす人々が「日本は変わって、居心地よい場がある」と思って、そこに視点を集中して生活してくれるようになり、そうした情報が求芯力ある口コミやマスコミで発信されれば、世界の英語圏の人々にとっては、実際に日本や日本人が変化した事実として受け止められることとなるのです。ロンドンに行くと、最初、すべての英国人が（といってもロンドンほど国際化すると、外国人ばかりで英国人を見つけるのが困難ですが……）皆レディーやジェントルマンに見えてきてしまいます。実際「やさしさ」を感じ見出して、英国人または外国人でも外国人であることを意識していない外国人に好印象をもち、それがロンドンが好き、「英国人」が好き、英国が好き、暮らしたい、ビジネスがしたい……と、そのヒトにとっての事実となってくるのです。

§8.3 チャタムハウス公式研究討論会パネルディスカッション（ブリュッセル）

日本復活を本物に：投資——ヨーロッパとの対話
（THE 'RETURN' OF JAPAN：INVESTMENT ——A DIALOGUE WITH EUROPE）

今回の一連の事業・研究では、ヒト・モノ（サービス）・カネといった日本経済社会にとって不可欠だが限られた資源を「芯」として4つに整理したうえで、世界やアジア、日本の事実や問題点、日本経済社会が直面するチャレンジへの対応、意思決定やガバナンスを求められる具体的な課題について、英米ヨーロッパはじめ世界の主要企業・団体、産官学の指導者、ジャーナリストや大学・研究機関の専門家や関係者、関心をもつ人々が一堂に会し、独立した聖域なき議論を行い、最も重要な事実と論点、実践の鍵などの絞込みを目指しました。

チャタムハウスは、第9章で述べるCIIE.asiaと共催で、ヨーロッパ、その統合したEUの「首都」であるブリュッセルで、欧州委員会や議会などのリーダーと日本から招聘したリーダーが再び一堂に会し、同じ4つの最大の課題についてフォローアップ、アップデートし、掘り下げる研究討論会パネルディスカッションを予定しています。

前述のとおり、英国と大陸ヨーロッパでは、世界や政治経済等に対する考え方がかなり違います。ブリュッセルでは、大陸ヨーロッパで関心が高い投資に焦点を当て、日EUのEPA交

をはじめ先行する取組みの経験と課題を共有し、東京五輪に向け情報発信し求芯力を高め、日本復活を本物にし、世界に貢献する戦略を議論します。

　それは研究討論会Ⅰの日本復活を本物にする鍵の１つである、日本・東京が世界やアジアの金融センターになるための鍵ともなってきます。さらに、研究討論会Ⅲで議論した、「日本は世界に開かれた会社・家庭・社会をもてるか」の視点からも、日本と日本人が国際競争力をつけるため必要最低限の変化を求めるうえで、すでにある米英ヨーロッパなど英語圏の人々に居心地のいい魅力ある場や視点を情報発信していくことは、実際に日本や日本人が変化するのと同様か、それ以上の効果があります。日本を訪れ暮らす人々が「日本は変わって、居心地よい場がある」と思って、そこに視点を集中して生活してくれるようになり、そうした情報が求芯力ある口コミやマスコミで発信されれば、世界の英語圏の人々にとっては、実際に日本や日本人が変化した事実として受け止められることとなるのです。ロンドンに行くと、最初、すべての英国人が（といってもロンドンほど国際化すると、外国人ばかりで英国人を見つけるのが困難ですが……）皆レディーやジェントルマンに見えてきてしまいます。実際「やさしさ」を感じ見出して、英国人または外国人でも外国人であることを意識していない外国人に好印象をもち、それがロンドンが好き、「英国人」が好き、英国が好き、暮らしたい、ビジネスがしたい……と、そのヒトにとっての事実となってくるのです。

§8.3 チャタムハウス公式研究討論会パネルディスカッション（ブリュッセル）

日本復活を本物に：投資——ヨーロッパとの対話
（THE 'RETURN' OF JAPAN：INVESTMENT ——A DIALOGUE WITH EUROPE）

今回の一連の事業・研究では、ヒト・モノ（サービス）・カネといった日本経済社会にとって不可欠だが限られた資源を「芯」として4つに整理したうえで、世界やアジア、日本の事実や問題点、日本経済社会が直面するチャレンジへの対応、意思決定やガバナンスを求められる具体的な課題について、英米ヨーロッパはじめ世界の主要企業・団体、産官学の指導者、ジャーナリストや大学・研究機関の専門家や関係者、関心をもつ人々が一堂に会し、独立した聖域なき議論を行い、最も重要な事実と論点、実践の鍵などの絞込みを目指しました。

チャタムハウスは、第9章で述べるCIIE.asiaと共催で、ヨーロッパ、その統合したEUの「首都」であるブリュッセルで、欧州委員会や議会などのリーダーと日本から招聘したリーダーが再び一堂に会し、同じ4つの最大の課題についてフォローアップ、アップデートし、掘り下げる研究討論会パネルディスカッションを予定しています。

前述のとおり、英国と大陸ヨーロッパでは、世界や政治経済等に対する考え方がかなり違います。ブリュッセルでは、大陸ヨーロッパで関心が高い投資に焦点を当て、日EUのEPA交

渉上の論点、グローバル・サプライ・チェーンを守る日EU協力、インフラ投資について議論を行い、最後に総括討論を行い研究成果をヨーロッパから世界に発信する予定です。

第9章

変化するアジア太平洋で／世界の知との協働と求芯力・発信力
――日本の産官学の新たな役割と
　アジア太平洋 日英 知の国際交流
　センターでの協働

§9.1 変化するアジア太平洋にある日本

先進資本主義市場国としてのアジアのなかの日本の歴史

　アジア太平洋は、欧米列強の植民地支配から第二次世界大戦後に解放され、資本主義国として、植民地時代の経済学でいうところの資本の本源的蓄積が始まりました。そして植民地経営としてのインフラ投資、衛生状態向上による人口の増加によって、ヒト・モノ・カネの資源が豊富にあるなか、先進資本主義国からのODAなど海外援助や直接投資により、資本と技術が投入され高度成長時代に突入しました。他方、第二次世界大戦の終戦は世界やアジアに社会主義・共産主義国を生み、ヒト・モノ・カネを国家や社会・共産主義国同士で計画的に融通し合おうとしましたが、市場経済の情報力・効率的な資源配分機能に人間の頭の計画は勝てないことが、その崩壊（ソ連・東欧等）・変質（中国等）で歴史的に証明されました。これをしりめに、NICsやNIEsと呼ばれる新興産業国・経済が、韓国、台湾、香港、東南アジア諸国から大きく成長し、これに改革開放路線後の中国が加わってきました。

　実体経済の急成長と海外からの資本の急速な動きとの間に、金融資本市場の情報・調整機能にゆがみが生じ、1997年には連鎖的にアジア通貨危機が起こりました。日本は、先進資本主義国として、アジア開発銀行、IMF、そして国としてバイで、資金を融通し、アジアに危機対処・予防のセーフティネットをつ

くり、国際的な市場の失敗を各国と協和して解決する仕組みをつくりあげ、アジアや世界の資本主義市場経済圏の安定的発展に力を尽くしてきました。

　そして米国からヨーロッパ、世界に伝播したリーマン・ショックによって、世界に金融危機が起きるなか、日本は、先進資本主義経済国として、いち早くIMFに最大の出資をしてその財政基盤を支え、アジア危機の際に行ったように、今度は世界に危機対処・予防のセーフティネットをつくり、研究討論会Ⅰにも関係する、市場の暴走を許した金融市場規制の見直し、研究討論会Ⅲで説明があったOECDでのコーポレート・ガバナンス原則の見直しなど積極的に参画し、国際的な市場の失敗を各国と協和して解決する仕組みをつくりあげ、世界の資本主義市場経済の安定的発展に力を尽くしてきています。そのなかで、いまだ共産党一党独裁体制を維持しながら、事実上資本主義国に移行した中国の高度成長が始まり、日本を抜いて世界第二の経済大国となり、アジアだけでなく世界の資源・エネルギーや海外インフラに積極的に投資し、安全保障面でも空母をもち増強し、アジアから世界に進出を試みています。そのなかで、歴史問題としてなぜか共産主義国との間に冷戦が始まった第二次世界大戦を起点や焦点にした批判が展開され、日中韓の国際関係が緊張状態にあります。

アジア太平洋で国際問題の独立した民主主義の議論の場の必要性

　日本は、アジア通貨危機に際して、G5、G7の先進資本主義国として、アジア開発銀行、IMF、そして国としてバイで、資金を融通し、アジアに危機対処・予防のセーフティネットを構築し、国際的な市場の失敗を各国と協和して解決する仕組みをつくりあげ、アジア各国の経済財政金融を取り仕切る財務大臣・中央銀行総裁との間で緊密なネットワークを築くなど、ASEAN＋3（日中韓）は現在に至るまでアジアの協和共栄のため連携を強めています。

　これに対し、外交安保、資源エネルギー安保など、各国の安全や経済社会に不可欠な稀少資源の確保など、高度な国際利害調整が強く求められる国際問題に関して議論する場が政府間にはありません。また各国内でも真の事実に基づき、政府や特定の団体から独立した聖域なき議論を共通言語（英語）で行う場が乏しい結果、事実から乖離した批判のみがヒートアップして、冷静な議論形成機能をなくしてソーシャル・メディアを含むメディアもこれを結果的に煽り、各国や各国間で収拾がつかない状態に陥ってしまっています。第1章で「だれかが正解を教えてくれるのを待っているのは、民主主義の主権者の責任を果たしているといえず、それでは正解に達しないから民主主義をつくったというのが歴史の事実ではないか」というチャタムハウス会員でもある英国紳士の指摘を紹介しましたが、アジア太平洋における国際問題をめぐる議論をみていると、まさに箴言だと思います。

チャタムハウスは、特定の国や企業、団体に所属せず、その会員は、ほぼ毎日開催されている研究討論会、セミナー、国際会議に直接またはソーシャルメディアを通じて参加し、世界での知見を広げ、チャタムハウス・ルールのもと、各自各国での経験・情報を共有し、各自の意思決定（Decision Making）やその説明・正当化（Justify）・発信に活用しています。

チャタムハウスのアジア・プログラムでは、尖閣諸島をめぐり日中間の、また、歴史問題での日韓間の緊張状態が高まっていた2014年春から、日中韓のマスコミのロンドン支局やジャーナリスト一同をチャタムハウスに呼んで、こうした事態にジャーナリストとして何が必要と考えるか、チャタムハウス・ルール下での研究討論会を開催しました。議論を進めると、3カ国のマスコミ支局長等から、「冷静に歴史や現在の真の事実を共有する場が必要だがアジアにはそれが欠けている」「特に中韓では政府から独立した聖域なき議論、真の民主主義の議論をする場がない」との意見が出る一方で、「日本についても聖域なき議論ができる場は乏しい」との見解が示されました。

§9.2　世界の知との協働と求芯力・発信力

2013年12月13日、金融庁・財務省は「金融・資本市場活性化に向けての提言」（http://www.fsa.go.jp/singi/kasseika/20131213.html）を取りまとめました。そのなかでも、「金融の専門家・政策当局者が参加する国際コンファレンスの開催や、たとえば

産官学が一堂に会する『場』（日本版「ダボス会議」「チャタムハウス」）の創設を検討するなど、金融関係の情報ハブとしても、アジアにおける『国際金融センター』としての地位を確立することが重要」と提言されています。また2014年5月16日、日本のシンクタンク（日本経済研究センター、大和総研、みずほ総合研究所）が「東京金融シティ構想の実現に向けて」の提言のなかで、「『東京金融シティ』の活気や魅力を維持するために、ロンドンのチャタムハウス（正式名称：英国王立国際問題研究所）が果たしているような、情報の発信・交換・共有の場（日本版チャタムハウス）を設け、『人』や『知』の集積を図っていくことが求められる」としています。本書のタイトルでもある「日本復活を本物に」するためにも情報の求芯力・発信力が不可欠なのです。

　変化するアジア太平洋で、シンクタンク・大学等世界の知といかに協働し、チャタムハウスのような国際問題に関する独立した聖域なき議論を全世界に発信する場をいかにつくり、日本・アジアの求芯力・発信力をいかに強化していくか。

　英米欧などに比べ、日本・アジアでは、初等教育から議論やディベートの訓練などなく、「静かに先生や親の話を聞きなさい……」と教育される場合が多く、会社、家庭、地域社会でも、自分たちによいルールを、自分たちで議論してつくり変えていく場面が少なく、特に、外交安保、資源エネルギー安保など、各国の安全や経済社会に不可欠な稀少資源の確保など、高度な国際利害調整が強く求められる国際問題に関し、非政府間

で共通言語（英語）でinteractiveな対話に基づく議論を展開し、共通事実と論点をもつ場に乏しく、情報の求芯心・発信力が限られている現状にあります。逆に、英米アングロサクソンの世界では、非英語圏も英語で語ることがグローバル化であるため、特に情報発信力という観点からは、英語で語られないものは存在しないものとして扱われがちです。日本や中国などアジア諸国をみると、英語で語らないリーダーが国や会社の主要な意思決定をしている場合も多く、チャタムハウスのような英国のシンクタンクが英語情報だけに頼ることは、これらの地域の重要な情報を得られず、自ら情報求芯力を制約することにつながります。

特に、英国の歴史的競争相手であるドイツなど大陸ヨーロッパは、中国語などアジアの言語で独自の情報網とヒト・モノ・カネの流れを以前から構築してきています。英国のチャタムハウスにとっても、アジアの民主主義国・先進資本主義国の日本でアジアのリーダーの意思決定を左右する重要な情報を得ること、変化し成長するアジアの将来を担うアジアの日本留学生などの若者の視点や優秀な人材情報を得ることは、世界のシンクタンク間の競争を勝ち抜き、今後も情報の求芯力・発信力を維持・発展させるために不可欠なのです。

§9.3 アジア太平洋 日英 知の国際交流センターの設立

　こうしたなか、私たち有志が提案したのが、経済財政金融や通貨の分野で、お金で測れる客観的事実に基づいて、実現している事実に基づく冷静な議論と緊密なネットワークを、外交安保、資源エネルギー安保など、各国の安全や経済社会に不可欠な稀少資源の確保など、高度な国際利害調整が強く求められる国際問題に関して議論する場が、まずは政府ではなく民間から、それも大学の自治を理想としている大学で、特定の政府・団体に属していない学生なら、真の事実＝真実に基づく独立した聖域なき議論ができるのではないか。「アジア版チャタムハウス」のような、シンクタンク・大学等世界の知と協働し、チャタムハウスで行われているような国際問題に関する独立した聖域なき真の民主主義の議論を行い全世界に発信する場をつくり、日本・アジアの情報の求芯力・発信力を強化してはどうか、というものでした。§9−1で日中間の緊張を取材するジャーナリストが求めていたのも、まさにそうした場でした。

アジア太平洋 日英 知の国際交流センター（CIIE.asia）

　2014年5月、アジア太平洋において、チャタムハウスを範とし、アジア版チャタムハウスとして国際問題に関する独立した聖域なき議論を通じ、世界の協和共栄に貢献することを目的に一般財団法人アジア太平洋 日英 知の国際交流センター、英文

ではAnglo-Japanese Centre for International Intellectual Exchange Asia-Pacific（略称CIIE.asia）が創設されました。

「アジア太平洋から世界へ」をミッションに、チャタムハウスなどで日々グローバルな戦略的視点から行われている研究討論会やセミナー等に参画する機会を提供し、

① シンクタンク・大学等の世界の知の交流促進〈シンクタンクハウス事業〉

② 世界戦略に関する研究・議論・情報発信促進〈アカデミーハウス事業〉

③ その他の関連事業〈サイバー研究討論会・セミナーその他の事業〉

を行います（www.ciie.asia）。

これは、チャタムハウス所長のロビン・ニブレット氏が、日本企業や社会は真に国際競争力をつけ、世界の経済社会と協和共栄できるか、東日本大震災を経た後に顕著となったインフラ投資、エネルギー問題、資源、環境、食糧を含めた安全保障も鍵となるが、英国がヨーロッパで果たしてきたように、日本がアジア太平洋でリーダーシップをとることはできないか、周辺国との関係の悪化が心配だ……と投げかけたチャレンジな問いに対し、私たちロンドン有志が中心となり、終わりなき実践研究を始めようという壮大な試みです。

① シンクタンクハウス事業

アジア太平洋において、シンクタンク・大学等で、企業等の協賛する研究討論会等をチャタムハウス等と共催または主催

し、世界の知の交流を促進し、アジアの世界への情報発信力と求芯力を高めます。

　また順次、チャタムハウスのアカデミック会員・企業会員・個人会員やCIIE.asiaの会員・協賛企業等の活動をサポートする事業、CIIE.asiaからチャタムハウス等への研究員の派遣、研究内容の紹介、アーカイブス検索、レファレンス等を行い、シンクタンクCIIE.asiaとして研究、定期レポートの配信、最新の議論・研究活動内容の情報発信・出版等を行っていきます。

② アカデミーハウス事業

　〜英語で発信する前に、

　　世界に関心がなければ世界に関心をもたれない〜

　アジア太平洋において、CIIE.asiaと協賛企業等の冠プロジェクトとして、大学等でアジア留学生・社会人等が参加可能な半期〜1年のグローバル発信力育成セミナーを開催し、最後に研究討論会等をチャタムハウス等と開催し、世界戦略に関する研究・議論・情報発信を促進します。

　また順次、CIIE.asiaの会員・協賛企業のセミナー聴講・研修制度、セミナー参加者等のチャタムハウス派遣（Academy for Leadership in International Affairs）や提携する英国大学等留学制度等を広げていきます。

③ その他関連事業

　〜アジア太平洋から世界へ、

　　独立した聖域なき議論の場をより多くつくる〜

　アジア太平洋において、アカデミーハウス事業参加者を中心

に、ホームページ上で、チャタムハウス・ルール下、自国語と英語でサイバー研究討論会・セミナーその他の事業を行い、国際問題に関する独立した聖域なき議論を広め、得られた新たな事実・論点を①②の事業に反映させつつ、順次、全世界に向けて英語での情報発信を行っていきます。

CIIE.asiaの研究討論会やセミナーでの調査・研究分野は、以下の5つ。

① 国際経済・金融・貿易（International Economics, Finance and Trade）
② エネルギー・環境・資源（Energy, Environment and Resources）、食料安全保障（Food Security）
③ 医療・教育・福祉（Medical, Educational and Welfare Activities）
④ 国際安全保障（International Security）
⑤ 欧州、米国、アジア等地域研究、国際法（Regional Studies and International Law）

実践・意思決定に直結する事実・課題を焦点に
民主主義の議論を目指す

チャタムハウスは、研究討論会、セミナーなどを通じ、会員や研究成果を見た世界の人々に、世界の知見を広げ、各自各国での経験・情報を共有し、各自の意思決定（Decision Making）やその説明・正当化（Justify）・発信といった実践に活用して

もらい、世界の協和共栄を目指す、シンクタンク（Think Tank）です。

また、特定の国や企業、団体に所属してその意思決定（Decision Making）を正当化（Excuse）したりせず、独立性や政治的中立性を保っています。洋の東西を問わず、指導者は孤独なものです。世界の指導者は、批判や反対意見、不都合な真実を知り、全世界の違った考え方に基づく意志決定や経験を知るために、英国ロンドンのチャタムハウスに会するといっても過言ではありません。

アジア版チャタムハウスとして、その時々の世界の直面するチャレンジへの対応、意思決定やガバナンスを求められる具体的な課題について、アジア太平洋において、世界の主要企業・団体、産官学の指導者、ジャーナリストや大学・研究機関の専門家や関係者、関心をもつ人々が一堂に会し、通常チャタムハウス・ルールのもと、独立した聖域なき議論を行いながら、最も重要な事実と論点、実践の鍵などを縛り込み、何が真の事実＝真実かを焦点に、実践的な解やその方向性を探っていく、民主主義の議論そのものを目指します。

世界の協和共栄に向け
真実と正解に近づく終わりなき実践研究を続ける

英米ヨーロッパはじめとした国々では、学校でも初等教育から議論やディベートの訓練がなされ、会社、家庭、地域社会でも、自分たちにとってよい、より正解に近いルールを、自分た

ちで議論してつくり変えていこうとしています。それに対し、日本をはじめアジアの国々では小学校に入ると、先生や教科書が正解と教えられることが多く、こうした国の参加者とその国に関し議論する場合、なかなか研究討論会のなかで、英語でinteractiveな対話に基づく議論を展開し、論点を絞って情報発信しいくことは困難です。

　アジア版チャタムハウスとして、その時々の世界の直面する具体的な課題について、上記事業の過程で明らかとなってくる事実や論点に基づき、新たな切り口で、より実践的な研究討論会やセミナーなどを企画立案、実施していくことで、真実と正解に近づく終わりなき実践研究を続け、世界において、情報の求芯力と発信力を高めていきます。

（注）　第1章§1.1で述べたように、チャタムハウスは他のシンクタンクと違って国内外に支部を置かず、したがって、CIIE.asia（アジア太平洋　日英　知の国際交流センター）はチャタムハウスの支部等ではなく、アジア版チャタムハウスとしての役割が期待され、アジア太平洋にある日本の東京に、英国・ロンドンゆかりの日英の有志によって設立された一般財団法人です。

§9.4 日英 知の国際交流——チャタムハウスとの協働

チャタムハウス公式研究討論会パネルディスカッション
日本復活を本物に：国際競争力
〜変化するアジアでの日本の（産官学の）新たな役割〜
(THE 'RETURN' OF JAPAN：JAPAN'S NEW ROLES IN CHANGING ASIA)

　英国ロンドンのチャタムハウスは、第2〜7章のロンドンでの研究討論会Ⅰ〜Ⅳと総括発表会で日英の知の国際交流を行いました。その後、アジア太平洋の日本やヨーロッパに場所を移して、前項のCIIE.asiaと共催で、第8章で紹介した東京での研究討論会パネルディスカッション、§8.3のブリュッセルでの研究討論会パネルディスカッション、後述する名古屋での研究討論会パネルディスカッションと、日欧の対話および日英 知の国際交流を行っていき、アジア太平洋・日本での情報発信の場、チャタムハウスにとっての情報収集の場をつくっていきます。アジア・日本の情報発信力と求芯力強化の一助となるよう、実践研究を続けていきます。

　以前からアジアの留学生を多く受け入れ、アジアとの関係強化を図ってきており、Ph.D. Professional: Gateway to Success in Frontier Asiaなど全学的なフロンティア・アジアとの関係強化・情報発信力強化プログラムをもち、2014年秋からCIIE.asiaと東海東京ファイナンシャル・ホールディングスの冠セミナープロジェクトが行われる予定の名古屋大学において、「変

化するアジアでの日本の（産官学の）新たな役割」と題して、麻生太郎副総理兼財務大臣などの基調講演およびパネルディスカッションが開催されます。

§9.4.1　Session 1：政府の新たな役割

日本は単純明快、柔軟で規制緩和され、世界に開かれた制度をもてるか　　　　　　　　　　　　　　　（研究討論会Ⅰ・Ⅳに関連）

　変化するアジア太平洋における日本の政府の新たな役割を考えます。まず、日本のアベノミクス、英国ヨーロッパの構造改革、そしてその結果としての国際競争力について、本書第3〜6章でみた4回の研究討論会で日英の知の国際交流を行ってきましたが、名古屋大学におけるセミナーでは特に、「研究討論会Ⅰ：日本は世界やアジアの金融センターでいられるか」「研究討論会Ⅳ：日本は世界に投資・貢献し世界の投資を呼び込めるか」についての議論で、英国からみた日本の最大のチャレンジとして、日本が、単純明快、柔軟で規制緩和され、世界に開かれた制度をもてるかについて、英語で研究討論会パネルディスカッションを行います。

　ここでは先の研究討論会において、「日本は複雑で硬直的な規制が張りめぐらされており、世界とまったく違った『ガラパゴス化した』制度をもっていると英語圏の英米アングロサクソンの人々に思われていることを原因として、世界の投資家の投資先のリストに日本の名前がない」という指摘をし、事実と問

題の所在を発言し続けてきていただいた、元英国外交官でGRジャパン共同設立者フリップ・ハワード氏（Mr Philip Howard, Co-founder, GR Japan K.K.）に、英国からみたアジアにおける日本市場のチャレンジを報告していただきます。これに対する、日本の政府側のアベノミクスなどでの取組み等の紹介・コメントを経て、日英ヨーロッパの専門家等が、世界、アジアにおいて日本が、これらのチャレンジを克服し、真に国際競争力をつけて、アジアをリードしていくために何が最も必要か議論します。

§9.4.2　Session 2：大学の新たな役割
（人的資本（老若男女）世界の英知の活用とアジア太平洋 日英 知の国際交流センター事業）

日本は世界に向けて、強力に情報発信ができる人材を育成できるか
（研究討論会4回すべてに関連）

　変化するアジア太平洋における日本の大学の新たな役割を考えます。これまでの4回の研究討論会すべてにおいて、政府や企業の政策決定、発表、議論、変更などさまざまな場面で世界への情報発信力が求められており、それは時として、世界のヒト・モノ・カネそして情報を呼び込もうとする際には、実体以上に重要な意味をもつことが指摘されてきました。そこで名古屋大学における全学的なアジアとの関係強化・情報発信力強化

プログラムの取組みおよびアジア版チャタムハウスのセミナー事業はこれに応える試みともいえます。

本会の2日後に東京で開催される§8.2の研究討論会パネルディスカッション「東京五輪に向け日本復活を本物に／日本の魅力『おもてなし』世界戦略」のSession 1「英国『おもてなし』とロンドン五輪での人々の連携」にも主席するニック・バレー氏（Mr Nick Varley, Seven46創業者兼CEO）は日本復活を本物にする鍵は情報発信力にあると確信しているメディア戦略の専門家であり、日本人・アジア人は英国人のような世界への情報発信力をもてるか、日本は世界に向けて情報発信できる人材を育成できるか、そのポイントを報告していただきます。これに対する、名古屋大学の事業・取組み等や先行する大阪大学でのアジア版チャタムハウスのセミナー事業の試みの紹介・コメントを経て、世界、アジアにおいて日本が、これらのポイントを押さえ情報発信力と求芯力をもつ人材を育成し、アジアをリードしていく実践的方策について議論します。

§9.4.3　Session 3：企業・社会の新たな役割

日本は世界に開かれたガバナンスの効いた企業と社会を実現できるか
（研究討論会Ⅱ・Ⅲに関連）

変化するアジア太平洋における日本の企業・社会の新たな役割を考えます。「研究討論会Ⅲ：日本は世界に開かれた会社・家庭・社会をもてるか」について、「研究討論会Ⅱ：日本は高

齢化のチャレンジをチャンスにできるか」で議論した潜在成長力を支える研究開発における資金・人材面での産学連携の必要性と企業の新たな役割を核に、社会的責任（CSR）投資、子育てやボランティアなど家庭や社会での役割を評価する人材育成、会社で老若男女それぞれが活躍できる人材開発・教育投資の必要性について、英国そしてアジアの視点から、研究討論会パネルディスカッションを行います。

　日本で働く英国人ビジネスマンで、企業統治や企業の大学・社会での役割の専門家であるニコラス・ベネシュ氏（Mr Nicholas Benes）などに、特に高齢化の進むなか、英国からみた日本の企業・社会のチャレンジについて報告していただきます。これに対する、日本の企業や大学の産学連携や企業統治改革等の取組み等の紹介・コメントを経て、日英ヨーロッパの専門家等が、世界に開かれたガバナンスのきいた企業・社会の実現を通じ、世界から投資を受け、真に国際競争力をつけて、アジアとともに成長していけるのかについて議論します。

おわりに

　本書では、「日本復活を本物に」する鍵について、チャタムハウスに会し、日欧の対話を行い、CIIE.asiaと共催で、日英の知の国際交流を日欧で交互に行いながら、日本のアベノミクス、欧州の構造改革について、日欧の企業、国、そして国民が真の国際競争力を発揮できるかとの観点から、議論してきました。最後に、これらの議論や一連の事業・研究を経て私たちチームが考えるに至った、アジアや世界で復活する日本像をご紹介します。読者の皆様が今後、日本の将来について実践的な議論・研究をなさる際の参考になれば幸いです。

アジア初の民主主義国・先進資主義市場経済国＝日本
　一連の事業・研究では、批判や反対意見を打ち負かしたり、自分の意見を正当化したりする議論でなく、むしろ批判や反対意見を最大限に受け止め、何が真の事実＝真実かに焦点を当て、実践的な解やその方向性を探っていく、民主主義の議論そのものを目指してきました。変化するアジア太平洋にある日本は、アジア初の民主主義国、先進資本主義市場経済国として米英欧とともに社会・共産主義の非効率性や不正、市場の失敗等と共闘してきた国民の歴史から、筋を通して世界に情報発信し、アジア太平洋や世界での求芯力を高めていくことが、日本が復活するための鍵となるのではないでしょうか。

英国紳士・淑女のように逃げない大人の国＝日本

　英国の指導者となっている紳士・淑女は、自分の意見や意思決定は間違うもので、会社、家庭、社会、国や世界で100％通用し、実現するものでないことを前提に、常に後悔や孤独を抱えつつ、国や世界の将来や運命を決する決断を行っています。このような指導者は、批判や反対意見、不都合な真実を知り、世界の違った考え方に基づく意志決定や経験を知るために、チャタムハウスに会します。日本が復活を本物にし、世界、アジア太平洋のリーダーであり続けるためには、世界や他国の批判や反対意見、不都合な真実から逃げず、独立した議論を行い、世界の違った考えや経験を取り入れ、経済社会を常に変化させていく、懐深い、大人の国である必要があるのではないでしょうか。

変化するアジア・世界で産官学が連携して活躍する国＝日本

　変化するアジア太平洋・世界での日本の産官学の新たな役割を考えました。

　政府の新たな役割として、研究討論会Ⅰで日本は世界やアジアの金融センターでいられるか、研究討論会Ⅳで日本は世界に投資・貢献し世界の投資を呼び込めるか議論するなか、英国人からみて、単純明快、柔軟で規制緩和され、世界に開かれた制度をつくることが、日本復活を本物にすると総括されました。

　大学の新たな役割としては、4回の研究討論会すべてにおいて、政府・企業の政策・意思決定、発表、議論、変更などさま

ざまな場面で世界への情報発信力が求められ、それが世界のヒト・モノ・カネや情報の求芯力の鍵となると総括されるなか、大学等を核に世界戦略を考え発信する力のある人材を育成しつつ、世界の知を集めて交流し、独立した聖域なき議論や研究を全世界に発信することが考えられ、各大学での取組みやCIIE.asiaのセミナー事業の試みは、こうした役割を果たし、日本がリードしてアジア・世界に貢献するものです。

企業・社会の新たな役割としては、研究討論会Ⅲで日本は世界に開かれた会社・家庭・社会をもてるか、研究討論会Ⅱで日本は高齢化のチャレンジをチャンスにできるかを議論するなかで、英国人からみて、研究開発での産学連携、社会的責任投資、子育て・ボランティアなど家庭や社会で男女や老若を問わず役割を評価する人材育成、会社で老若男女が活躍する人材開発・教育投資と総括されました。

日本が真に国際競争力をもち、世界やアジアのリーダーであり続けるためには、産官学が、これらの新たな役割をそれぞれ果たし、変化するアジア・世界で連携して活躍する国である必要があるのではないでしょうか。

将来世代・老若男女・外国人の活躍する国＝日本

世界・アジア・日本の子どもたちに、私たちは日本をどのような国にして引き継いでいったらよいのでしょうか。

まずは、それらの子どもたち将来世代が、研究討論会Ⅱで日本は高齢化のチャレンジをチャンスにできるかを議論したよう

に、私たちが高齢者となっても高負担で苦しみ海外に逃げ出していくことなく、日本で、老若男女・外国人とともに安心して活躍できる持続可能な制度をもつ国としなければなりません。

同時に、日本の企業、国、そして国民が真の国際競争力を発揮できるよう、産官学が連携して活躍し、新たな役割を果たす国とする必要があります。

変化するアジア太平洋で、アジア初の民主主義国、先進資本主義市場経済国としての国民の歴史から、筋を通して世界に情報発信しつつ、世界や他国の批判や反対意見、不都合な真実から逃げず、独立した聖域なき議論を行い、世界の違った考えや経験を取り入れ、経済社会を常に変化させていく、懐深い、大人の国として、求芯力を高め、世界の協和共栄に貢献する国にして、日本を世界・アジア・日本の子どもたちに引き継ごうではありませんか。

ざまな場面で世界への情報発信力が求められ、それが世界のヒト・モノ・カネや情報の求芯力の鍵となると総括されるなか、大学等を核に世界戦略を考え発信する力のある人材を育成しつつ、世界の知を集めて交流し、独立した聖域なき議論や研究を全世界に発信することが考えられ、各大学での取組みやCIIE.asiaのセミナー事業の試みは、こうした役割を果たし、日本がリードしてアジア・世界に貢献するものです。

　企業・社会の新たな役割としては、研究討論会Ⅲで日本は世界に開かれた会社・家庭・社会をもてるか、研究討論会Ⅱで日本は高齢化のチャレンジをチャンスにできるかを議論するなかで、英国人からみて、研究開発での産学連携、社会的責任投資、子育て・ボランティアなど家庭や社会で男女や老若を問わず役割を評価する人材育成、会社で老若男女が活躍する人材開発・教育投資と総括されました。

　日本が真に国際競争力をもち、世界やアジアのリーダーであり続けるためには、産官学が、これらの新たな役割をそれぞれ果たし、変化するアジア・世界で連携して活躍する国である必要があるのではないでしょうか。

将来世代・老若男女・外国人の活躍する国＝日本

　世界・アジア・日本の子どもたちに、私たちは日本をどのような国にして引き継いでいったらよいのでしょうか。

　まずは、それらの子どもたち将来世代が、研究討論会Ⅱで日本は高齢化のチャレンジをチャンスにできるかを議論したよう

に、私たちが高齢者となっても高負担で苦しみ海外に逃げ出していくことなく、日本で、老若男女・外国人とともに安心して活躍できる持続可能な制度をもつ国としなければなりません。

　同時に、日本の企業、国、そして国民が真の国際競争力を発揮できるよう、産官学が連携して活躍し、新たな役割を果たす国とする必要があります。

　変化するアジア太平洋で、アジア初の民主主義国、先進資本主義市場経済国としての国民の歴史から、筋を通して世界に情報発信しつつ、世界や他国の批判や反対意見、不都合な真実から逃げず、独立した聖域なき議論を行い、世界の違った考えや経験を取り入れ、経済社会を常に変化させていく、懐深い、大人の国として、求芯力を高め、世界の協和共栄に貢献する国にして、日本を世界・アジア・日本の子どもたちに引き継ごうではありませんか。

【編著者略歴】

御友　重希（みとも　しげき）

王立国際問題研究所（チャタムハウス／Chatham House）客員研究員
愛知県名古屋市出身。1995年東京大学経済学部経済学科卒。1999年米国コーネル大学経営大学院（MBA）卒。財政・金融分野で、調査・研究や政策企画立案など実務経験を積み、2013年7月より現職。趣味は、読書、イタリア語、バイオリン、旅行、登山、柔道、育児等。1男3女の父。

日本復活を本物に
──チャタムハウスから世界へ

平成26年8月25日　第1刷発行

編著者　御友重希
発行者　小田　徹
印刷所　三松堂印刷株式会社

〒160-8520　東京都新宿区南元町19
発　行　所　一般社団法人 金融財政事情研究会
　　　編集部　TEL 03(3355)2251　FAX 03(3357)7416
販　売　株式会社きんざい
　　　販売受付　TEL 03(3358)2891　FAX 03(3358)0037
　　　URL http://www.kinzai.jp/

・本書の内容の一部あるいは全部を無断で複写・複製・転訳載すること、および磁気または光記録媒体、コンピュータネットワーク上等へ入力することは、法律で認められた場合を除き、著作者および出版社の権利の侵害となります。
・落丁・乱丁本はお取替えいたします。定価はカバーに表示してあります。

ISBN978-4-322-12580-1